JOGOS
PRÉ-DESPORTIVOS
NA EDUCAÇÃO
FÍSICA ESCOLAR

ANTONIO ROBERTO GOULART

JOGOS PRÉ-DESPORTIVOS NA EDUCAÇÃO FÍSICA ESCOLAR

Linhas de ensino, desenvolvimento motor e psicomotricidade

Labrador
UNIVERSITÁRIO

Copyright © 2018 de Antonio Roberto Goulart
Todos os direitos desta edição reservados à Editora Labrador.

Coordenação editorial
Diana Szylit

Diagramação e capa
Felipe Rosa

Revisão
Paula Nogueira Dias
Marina Saraiva

Dados Internacionais de Catalogação na Publicação (CIP)
Andreia de Almeida CRB-8/7889

> Goulart, Antonio Roberto
>   Jogos pré-desportivos na Educação Física escolar : linhas de ensino, desenvolvimento motor e psicomotricidade / Antonio Roberto Goulart. — São Paulo : Labrador, 2018.
>   144 p. : il.
>
> Bibliografia
> ISBN 978-85-93058-84-4
>
> 1. Escola - Exercícios e jogos 2. Educação física – Estudo e ensino 3. Jogos na educação 4. Desenvolvimento e percepção motora I. Título
>
> 18-0462   CDD 371.73

Índices para catálogo sistemático:
1. Educação física escolar

EDITORA LABRADOR
Diretor editorial: Daniel Pinsky
Rua Dr. José Elias, 520
Alto da Lapa, 05083-030 – São Paulo – SP
+55 (11) 3641-7446
http://www.editoralabrador.com.br
contato@editoralabrador.com.br

A reprodução de qualquer parte desta obra é ilegal e configura uma apropriação indevida dos direitos intelectuais e patrimoniais do autor.

Agradecimentos

Agradeço à instituição de ensino em que trabalho pela colaboração e aprendizado constante. Agradeço à minha família por mais esta obra literária. Dedico e agradeço à minha esposa Daniely, sempre presente, e aos meus queridos filhos, Stéfany e Felipe, motivos de orgulho e alegria para nós.

Apresentação

Escrever sobre conteúdos da Educação Física escolar sempre nos traz uma grande alegria e satisfação, além de proporcionar momentos de estudo e aprofundamento sobre os conceitos da área. A discussão sobre assuntos que determinam as linhas de trabalho dessa disciplina é pertinente, ampla e extremamente satisfatória para a evolução de todas as pessoas que estão envolvidas.

O foco desta obra é a apresentação dos diversos jogos escolares, em especial dos pré-desportivos, bem como dos conceitos relacionados a eles, das pesquisas de diversos autores que tratam do assunto, dos estilos de ensino e abordagens pedagógicas que auxiliam a entender todo o processo de aplicação destes conteúdos nas aulas, além de mostrar ao leitor a descrição de vários jogos, os esportes que estão relacionados a eles, os aspectos que são desenvolvidos, as faixas etárias que podem ser trabalhadas, as possíveis variações e comentários gerais.

A psicomotricidade e o desenvolvimento motor serão abordados também, porque estão intimamente ligados aos conteúdos da Educação Física escolar, seja por meio dos jogos, seja por qualquer elemento que o professor possa vir a trabalhar na escola.

Ao longo da leitura do livro, espero e acredito que o profissional possa ter em mãos um material muito importante para a melhoria do seu trabalho dentro da escola, passando a exercer com melhor qualidade a ação pedagógica, e não apenas sabendo mais um conteúdo, mas sim entendendo melhor seu fenômeno de uso e aplicação, o que vai engrandecer o seu conhecimento e por consequência aperfeiçoar a sua carreira.

Mais uma vez tenho a oportunidade de escrever sobre um determinado tópico da Educação Física e o faço por entender que o estudo é sempre muito valioso para qualquer profissional. Além do mais, nestes mais de vinte anos de atuação em diversas escolas particulares, sinto extrema necessidade de reciclagem e pesquisa, e não tenho dúvida que tanto ler quanto escrever são ações que me levam a estar atualizado e em melhores condições de produzir um ótimo trabalho pedagógico com os meus alunos em todos os segmentos escolares.

Creio que ao discutirmos as questões gerais da área, mesmo nas ocasiões em que há divergências, estamos na verdade crescendo no âmbito acadêmico e diminuindo a carência que afeta o corpo docente de forma geral, ou melhor, que afeta qualquer ramificação profissional. Logo, reconheço as dificuldades e os constantes obstáculos que enfrentamos e vamos enfrentar ao trabalhar com o sistema escolar, mas entendo que o melhor é buscar a superação por meio de dedicação, seriedade e muito estudo.

Ainda que, por vezes, tenhamos a sensação de total inoperância diante de tantas adversidades e processos educativos que surgem aparentemente em contraponto a nossos anseios, não devemos nos apoiar nesses motivos para ceder nem deixar de trabalhar e produzir com qualidade.

Desejo uma boa leitura e compreensão a todos, na esperança de que possamos melhorar os nossos resultados com os alunos.

Sumário

INTRODUÇÃO **11**
CAPÍTULO 1 - A IMPORTÂNCIA DOS JOGOS NA EDUCAÇÃO FÍSICA ESCOLAR..**18**
   1.1 – As vantagens dos jogos escolares 19
   1.2 – Os benefícios da prática dos jogos escolares..................... 24
   1.3 – A atuação do professor na escola ao aplicar os jogos 28
   1.4 – Conteúdos da Educação Física escolar 34
   Referências bibliográficas.. 37

CAPÍTULO 2 - EDUCAÇÃO BÁSICA: ESTILOS DE ENSINO E ABORDAGENS PEDAGÓGICAS...**40**
   2.1 – Principais estilos de ensino utilizados 41
      2.1.1 – Estilo Comandos.. 44
      2.1.2 – Estilo Tarefas 45
      2.1.3 – Estilo Avaliação Recíproca.. 45
      2.1.4 – Estilo Programação Individualizada 46
      2.1.5 – Estilo Descoberta Orientada....................................... 47
      2.1.6 – Estilo Solução de Problemas.. 47
   2.2 – Principais abordagens pedagógicas utilizadas 49
      2.2.1 – Classificações das abordagens pedagógicas 50
         2.2.1.1 – Desenvolvimentismo 53
         2.2.1.2 – Construtivismo.. 56
   Referências bibliográficas.. 60

CAPÍTULO 3 - DESENVOLVIMENTO MOTOR: RELAÇÃO COM A EDUCAÇÃO FÍSICA **62**
   3.1 – Estruturações diversas da motricidade.............................. 66
   3.2 – Estudos relacionados à motricidade................................... 73
   Referências bibliográficas.. 83

CAPÍTULO 4 - A PSICOMOTRICIDADE E SUA RELAÇÃO COM OS CONTEÚDOS ESCOLARES 86
    4.1 – Aspectos psicomotores.. 88
    Referências bibliográficas... 94

CAPÍTULO 5 - CONCEITOS E CLASSIFICAÇÕES DOS JOGOS ESCOLARES 96
    5.1 – Brincadeiras e jogos.. 97
    5.2 – Tipos de jogo escolar 98
    5.3 – Vantagens dos jogos pré-desportivos 101
    5.4 – Jogos para a saúde 104
    Referências bibliográficas... 107

CAPÍTULO 6 - APRESENTAÇÃO E DESCRIÇÃO DE 35 JOGOS PRÉ-DESPORTIVOS..108
    Referências bibliográficas... 138

CONSIDERAÇÕES FINAIS 139
ANEXOS 141

Introdução

Dentro dessa rica e apaixonante área de trabalho, podemos aplicar conteúdos diversos nas aulas, o que faz do ambiente profissional um rotineiro campo de realizações plenas, proporcionando assim uma maravilhosa forma de colocar em prática muitos anos de estudos e dedicação.

Ao escrever sobre os jogos pré-desportivos, suas diversas implicações e suas influências, tenho a grata oportunidade de aprofundar o meu conhecimento sobre o assunto e apresentar aos profissionais da Educação Física um trabalho que visa aperfeiçoar a capacidade de desenvolvimento dos conteúdos das aulas no programa da educação básica.

O uso do jogo dentro da aula é uma ferramenta muito útil, pois é uma maneira de aumentar as opções de trabalho que nos leva a alcançar tópicos que projetamos ao longo do cronograma anual de atividades. O caráter lúdico, a diversidade e a possibilidade de utilização em quase todas as faixas etárias faz dos jogos uma ferramenta que não pode ser descartada por um educador físico perante o seu grupo de alunos.

Um professor que se destaca é aquele que, normalmente, consegue transmitir um conteúdo de forma atrativa e cativante e, simultaneamente, de forma produtiva e pedagógica.

Jogar significa brincar, mas também significa vivenciar, explorar, experimentar, conviver, ou seja, para a criança, participar de um jogo na escola é aprender. Então nós, professores, acreditando nisso, devemos mais do que nunca estar aptos a compreender os fenômenos que norteiam os jogos, estudá-los e procurar usá-los nas aulas de Educação Física.

Os jogos, bem como todos os elementos dessa disciplina, são ferramentas de integração social, de convivência, de troca de experiências, e de ampliação das possibilidades de desenvolvimento motor, fatores estes que podem fazer aflorar aspectos positivos nas crianças e adolescentes.

Ademais, acredito que a prática do jogo para os jovens em fase escolar está sempre ligada ao contexto social. As formas de exercitação, tais as que são precursoras do desporto, são praticadas em diferentes formatos históricos e civilizacionais, sempre instrumentalizados para cumprir finalidades no âmbito do corpo e da saúde. Podemos dizer, com inteira propriedade, que a história do desporto e de outros meios ou métodos de movimentação corporal é parte integrante do histórico do culto ao corpo e dos cuidados da saúde.[3]

Outro elemento importante é a formação atual do corpo docente, pois, devido às transformações ocorridas nos campos da economia, política, cultura e sociedade nas últimas décadas, temos um quadro de constantes desafios para todos que se formam e se reciclam nessa área. A formação acadêmica tem sido considerada um dos principais temas das reformas educativas recomendadas por órgãos competentes.[1] Esse fato, com certeza, me estimula a procurar escrever mais sobre essa área de conhecimento.

Além do mais, entre as muitas variáveis que fazem parte da problemática que envolve desde a formação de professores até a sua efetiva atuação na escola, constata-se uma clara desconexão entre o conhecimento do professor e as ações pedagógicas no seu ramo de atuação. Em resumo, o profissional é capacitado na graduação, mas nem sempre coloca em prática o conteúdo aprendido nas aulas com os seus alunos.[6]

O estudo deve ser permanente, o aprendizado nunca deve estar finalizado, e atos como pesquisar, ler e discutir são imprescindíveis para a boa capacitação do profissional. Assim, a manutenção de uma ótima qualidade de aula e da excelência do trabalho docente vai ocorrer somente com a constante atuação do professor apoiada por essa estrutura de preparação.

A formação acadêmica mudou demasiadamente a partir dos anos de 1980, valorizando o conhecimento científico necessário para entender questões relacionadas à fisiologia do exercício, compreendendo, assim, melhor a problemática dos estudos voltados ao condicionamento físico, desempenho esportivo, aquisição de habilidades e capacidades físicas. Houve um aumento dos conteúdos universitários que abrangem disciplinas como bioquímica, anatomia, fisiologia, nutrição, entre outras. O interesse pela pesquisa científica e publicação em revistas especializadas aumentou, levando o profissional de Educação Física a ter maior participação nesses processos.[14]

Ainda hoje, para muitos que estão envolvidos com o sistema escolar, não há explicações claras, objetivas e densas sobre o que seja a Educação Física. Na verdade, ela pode ser entendida como mera prática social, e não como campo de conhecimento, fator determinante para uma indefinição do conceito, já que não se operam análises precisas, mas sim generalizadas.[4]

Para enfrentar e confrontar ideias como as citadas anteriormente, os docentes devem, inclusive, participar do trabalho dentro das escolas de forma mais efetiva e ativa, dentro do consenso abrangente da educação, evitando dessa forma superar o seu tradicional isolamento causado muitas vezes por eles mesmos, o que é necessário dentro do quadro atual das escolas.[7] Basta uma ação de nós mesmos, atuando com maior autonomia, para que o trabalho seja valorizado.

Assim, na presente obra apresento conceitos diversos que norteiam a Educação Física, em especial os jogos, com o intuito de favorecer e melhorar o quadro acadêmico. Também espero conseguir impedir certa acomodação que possa haver e predominar em nossas ações enquanto educadores físicos.

A predisposição à situação de conformismo é algo que pode nos caracterizar, já que, algumas vezes, assumimos posições descompromissadas em relação às direções que deveríamos seguir de forma coletiva e vivenciamos falsos papéis de professores. O correto seria pensar e agir para inverter essa ordem de fatores já preestabelecida que ocorre na sociedade e, por consequência, na educação.[10] Entre as muitas opções de não estarmos inertes ao comodismo, este livro se concentra naquelas relacionadas às atividades diversificadas dentro da sala de aula, como a dança, as lutas, as várias formas de ginástica e os jogos.

O jogo é diversão e aprendizagem, com a prática de exercício corporal e a consequente melhora da condição física (capacidades físicas), desenvolvendo ainda competências e habilidades variadas, além de fatores educativos primordiais, como a relação social.[5]

Ao aplicar jogos em sala de aula estaremos tratando de uma importante fase de desenvolvimento da criança, pois os estímulos dados nesse momento da vida dos alunos podem traduzir-se em eventos futuros positivos ou negativos, refletindo dessa forma no seu conhecimento corporal, compreensão de letras, números, entre outros fatores.[9] Trabalhamos, então, em momentos que vão interferir na própria personalidade do indivíduo, e entendo que o trabalho deve e pode ser muito produtivo e agradável.

Vejo vários aspectos positivos ao aplicarmos os jogos em aula, pois podemos obter vantagens quanto ao desenvolvimento pleno da motricidade, evitando a "obrigatoriedade" de gestos que podem estar atrelados ao esporte de alto rendimento.

O aluno que pratica um esporte de acordo com o seu anseio e escolha, seja nessa situação, seja pelo próprio treinamento respectivo sequenciado, solicita a padronização de movimentos. Já na Educação Física, é importante o aprendizado pelo movimento, e no jogo esse complexo processo pode ser favorecido e concretizado.

O trabalho da motricidade não deve perder o seu "multissignificado", que é caracterizado pela experiência da interação da vida com o mundo. Nesse paradigma de aprendizagem, não é primordial ensinarmos simplesmente os rendimentos motrizes pré-determinados pelo esporte, que são aceitos como corretos e únicos. As sequências metodológicas de exercícios que buscam a aproximação de formas finais de modelos inflexíveis levam à limitação dos movimentos humanos, envolvendo exclusivamente as habilidades específicas, ligadas às modalidades esportivas.[8] A criança jogando de forma natural e exercitando o gesto motor de acordo com o seu acervo nos traz uma situação satisfatória para derrotar o quadro negativo citado anteriormente.

O brincar é um modo excepcional da criança se expressar, de aprender a revolucionar seu desenvolvimento e criar a sua cultura corporal, sendo uma ferramenta por excelência para ela mesma. Na brincadeira ou no jogo, podemos dizer que a criança tem a oportunidade de utilizar os seus recursos para explorar o meio em que vive, ampliando assim a sua percepção sobre ele e si mesma, organizando seu pensamento e trabalhando o seu lado afetivo, bem como a sua capacidade de ter iniciativa e ter sensibilidade a cada situação vivenciada.[13]

Compete aos educadores aplicar os jogos e as brincadeiras na escola, contextualizando-os, para que dessa forma ocorra a produção de conhecimentos, desenvolvimento de valores e procedimentos que contemplem o indivíduo de maneira global, contribuindo para superar certas barreiras, como o individualismo e o corporativismo, evitando assim a acentuação das desigualdades na nossa sociedade atual.[16] Portanto, é preciso não apenas aplicar o jogo durante a aula, mas também complementar o trabalho colocando a importância de regras e normas a serem respeitadas pelos alunos, uns perante os outros. Também é interessante expor ao grupo valores como solidariedade, espírito de equipe, cooperação, disciplina, participação, entre outros.

Na escola, a tarefa da Educação Física é a de trabalhar os conteúdos em todas as suas dimensões, explorando o procedimental, atitudinal e conceitual. Devemos ir além de meramente ensinar as técnicas dos movimentos ou as partes específicas de certas destrezas, mas sim inserir o aluno no contexto da cultura corporal de forma verdadeira e complexa.[11]

As habilidades motoras, em todas as suas expressões, precisam ser desenvolvidas, mas não podemos desprezar os demais aspectos, cognitivos e afetivo-sociais. Faz-se necessário, então, aprofundar a pesquisa nessas áreas, procurando compreender melhor a relação entre a prática de jogos e esportes e o funcionamento neuropsicológico, bem como validar os instrumentos de avaliação envolvidos.[2] O usufruto dos jogos nas aulas será o momento de expor essa realidade e efetivar a busca por uma melhora da situação dessa área de atuação. Além do mais, o jogo é sempre uma ferramenta excepcional que temos em mãos para superar diversas barreiras existentes no contexto escolar.

O que separa o insucesso pedagógico do professor da vitória conquistada ao longo do programa escolar pode estar em uma boa distribuição de conteúdos pertinentes e produtivos da nossa área de conhecimento.

Destacando a Educação Física em si, relembro que ela, ao longo dos anos, vem passando por vários problemas no que se refere à própria identidade de um ato verdadeiramente pedagógico. Para alguns, ela pode ser apenas um ponto de apoio para complemento ou reforço de outras disciplinas curriculares, mas isto não é de forma alguma a sua missão escolar. Então, é de vital importância lembrar a todos envolvidos na educação que a Educação Física possui condições para contribuir na formação dos alunos e oferecer tanto quanto os demais componentes.[12]

A Educação Física é, portanto, um aspecto da educação, devendo contribuir na integralidade do aluno por meio de atividades físicas dentro de todas as suas possibilidades, como é o caso de uma necessidade imperiosa do homem desde o seu nascimento: o movimento.[15]

É constante a luta para manter essa disciplina em evidência e para valorizá-la para os elementos atuantes na escola, apresentando tópicos que possam sugerir a sua importância. Entender a Educação Física como meio real de aprendizado e mudança de atitude e valores para os alunos é uma ação contínua do professor no processo pedagógico.

Entendo, por fim, que a ação deliberada do educador físico é a prova verdadeira da concretização do quadro pretendido por esse pensamento voltado para a melhora da disciplina em todas as suas ramificações. Lembro que a sala de aula é um ótimo laboratório, então façamos as experiências com qualidade e maestria, sempre com o intuito de produzir e ensinar, para colher frutos gratificantes no futuro com os alunos.

Referências bibliográficas

1. ARAÚJO, R. A. S. *A educação física na formação inicial*: prática pedagógica e currículo. São Luís, MA: 360º Gráfica e Editora, 2014.
2. BARBOSA, C. Jogos, brincadeiras e práticas esportivas como instrumentos de desenvolvimento e avaliação de habilidades neurológicas. In: AWAD, H. (Org.). *Educação Física escolar*: múltiplos caminhos. Jundiaí, SP: Fontoura, 2010.
3. BENTO, J. O. Da saúde, do desporto, do corpo e da vida. In: BARBANTI, V. et al. (Org.). *Esporte e atividade física*: interação entre rendimento e qualidade de vida. Barueri, SP: Manole, 2002.
4. CAPARROZ, F. E. *Entre a educação física na escola e a educação física da escola:* a educação física como componente curricular. 2. ed. Campinas, SP: Autores Associados, 2005.
5. CASTRO, A. *Jogos e brincadeiras para Educação Física*: desenvolvendo a agilidade, a coordenação, o relaxamento, a resistência, a velocidade

e a força. Tradução de Guilherme Laurito Summa. 2. ed. Petrópolis, RJ: Vozes, 2014.
6. GALLARDO, J. S. P.; CAMPOS, L. A. S.; GUTIÉRREZ, A. L. Panorama da Educação Física Escolar Brasileira. In: GALLARDO, J. S. P. (Org.). *Educação Física escolar:* do berçário ao ensino médio. 2. ed. Rio de Janeiro: Lucerna, 2005.
7. HILDEBRANDT-STRAMANN, R. Escola (s)em movimento. In: _____. (Org.). *Educação Física aberta à experiência:* uma concepção didática em discussão. Rio de Janeiro: Imperial Novo Milênio, 2009.
8. _____. O homem e a natureza – considerações pedagógico-motoras. In: _____. (Org.). *Educação Física aberta à experiência:* uma concepção didática em discussão. Rio de Janeiro: Imperial Novo Milênio, 2009.
9. MACHADO, J. R. M.; NUNES, M. V. S. *Educação Física na educação infantil.* Rio de Janeiro: Wak Editora, 2012.
10. MEDINA, J. P. S. A educação física precisa entrar em crise. In: _____. et al. (Colaboradores). *A educação física cuida do corpo... e "mente":* Novas contradições e desafios do século XXI. 25. ed. Campinas, SP: Papirus, 2010.
11. MONTEIRO, A. A.; ALMEIDA, T. T. O. *Educação Física no Ensino Fundamental com atividades de inclusão.* 2. ed. São Paulo: Cortez, 2010.
12. NISTA-PICCOLO, V. L.; MOREIRA, W. W. *Esporte como conhecimento e prática nos anos iniciais do ensino fundamental.* Colaboração no repertório de atividades de Alessandra Andrea Monteiro, Raquel Stoilov Pereira e Evandro Carlos Moreira. São Paulo: Cortez, 2012.
13. NORONHA, A. P. Fundamentos da Educação Física e do Esporte. In: NORONHA, A. P. (Org.). *Expert educação física.* São Paulo: Rideel, 2013.
14. POWERS, S. K.; HOWLEY, E. T. *Fisiologia do exercício* – teoria e aplicação ao condicionamento e ao desempenho. São Paulo: Manole, 2000.
15. RODRIGUES, M. *Manual teórico-prático de educação física infantil.* 9. ed. São Paulo: Ícone, 2011.
16. ROSSETO JR., A. J. et al. *Jogos educativos:* estrutura e organização da prática. 4. ed. São Paulo: Phorte, 2008.

- CAPÍTULO 1 -
A importância dos jogos na Educação Física escolar

Os conteúdos da Educação Física escolar buscam atender à demanda de objetivos propostos durante o cronograma da educação básica, dentro do contexto do processo pedagógico que os alunos devem vivenciar ao longo dos anos. Os blocos incluem ginástica, dança, lutas, jogos, esportes e temas conceituais. Nesta obra abordamos mais especificamente os jogos, as suas classificações e importância, destacando posteriormente os jogos pré-desportivos.

Citar os benefícios desses conteúdos me levou a realizar uma profunda pesquisa no assunto, pois muitos autores escreveram e conceituaram sobre tais tópicos, o que acaba por favorecer a explanação de conhecimentos diversificados, contribuindo para todos os envolvidos nessa disciplina.

Claramente, por meio de jogos escolares a criança apresenta uma melhora em seu desempenho motor. Isso se expressa não só nas ações, mas também nos aspectos cognitivos (memorização, atenção) e afetivos (cooperação, respeito). Também há evolução nos eixos temáticos, que são: estruturação espacial, orientação temporal e esquema corporal.

Percebo que o próprio panorama do jogo em si, ou seja, a oferta de desafio, de disputa e da condição de superar o oponente, expõe drasticamente uma situação de maior concentração e dedicação do participante para executar os movimentos propostos, a fim de obter êxito.

Na prática de jogo, dentro das aulas, o aluno terá maior dificuldade de executar um determinado gesto motor, pois haverá a interferência de um colega do time adversário, mas isso acaba sendo benéfico para a sua evolução. O que se vê nas aulas é muitas vezes o aluno não executando o exercício (na ação individual) com o devido afinco ou com o máximo de empenho e dedicação. Já em práticas de jogos diversos (ação coletiva) na Educação Física, com o quadro de competição e o desafio de superar o oponente, os movimentos acontecem de forma mais eficaz, a movimentação corporal é maior, os deslocamentos são mais eficientes, ou seja, acabamos, por fim, atingindo os objetivos preestabelecidos nos parâmetros comuns dessa disciplina.

Os aspectos que norteiam essa área de conhecimento são bem definidos e podemos trabalhar de diversas formas, mas com certeza com o uso dos jogos escolares podemos obter sucesso e colher muitos frutos.

No destaque desta obra literária apresento os jogos pré-desportivos. O intuito é, ao longo do texto, destacar a sua importância, funções de sua utilização (Figura 1.1), bem como exemplos para a aplicação em aulas.

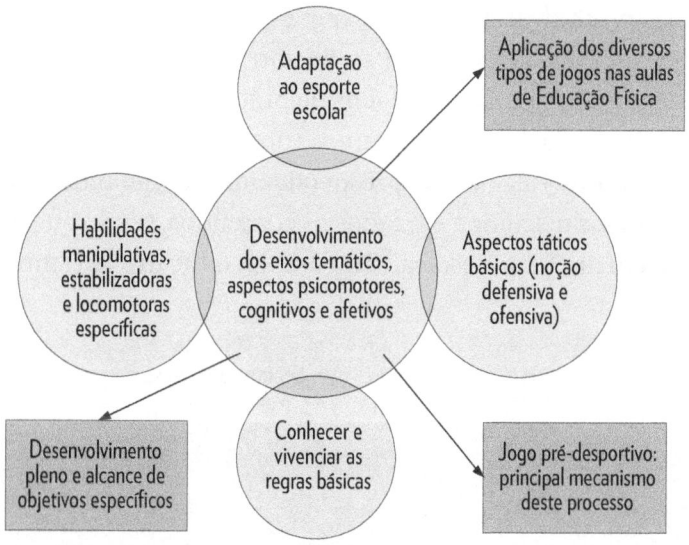

Figura 1.1 – Importância e funções da aplicabilidade dos jogos pré-desportivos.

1.1 – As vantagens dos jogos escolares

Os elementos positivos de usarmos jogos em aula são muitos. Não devemos nos esquecer, é claro, de que pode haver obstáculos – como a falta de interesse do grupo ou o desânimo do aluno ao participar –, que, no entanto, são inerentes a qualquer atividade que vivenciamos na vida, não sendo diferente no jogo escolar. Caberá ao professor dentro do contexto escolar administrar a situação, envolvendo o grupo e incentivando a participação dos seus educandos, levando à conscientização e ao entendimento dos aspectos benéficos da movimentação corporal, tão presente nas aulas de Educação Física.

Adorno (1995), Dewey (1956) e Orlick (1989) afirmam que durante a ação do jogo, forma-se uma "minissociedade" que estabelece as regras para a sua efetivação na aula, reforçando valores e atitudes da sociedade maior, sendo que dentro do grupo que atua no jogo é estabelecida uma situação ambígua, podendo ser canalizada para o "bem" ou para o "mal".[16]

Acreditando nas diversas vantagens dos jogos escolares, venho buscando ao longo dos anos utilizar variações desses elementos para conseguir aulas produtivas. Lecionando em diversas escolas e em todos os segmentos, da Educação Infantil ao Ensino Médio, verifico realmente mais vantagens do que desvantagens na prática de jogos por parte dos alunos. Tópicos relacionados, algumas vantagens e aspectos positivos dos jogos (Figuras 1.2, 1.3 e 1.4, respectivamente) são multiplamente explorados nessa disciplina em todos os conteúdos, sendo que os jogos ainda incluem um fator destacado no âmbito educativo e estimulante.

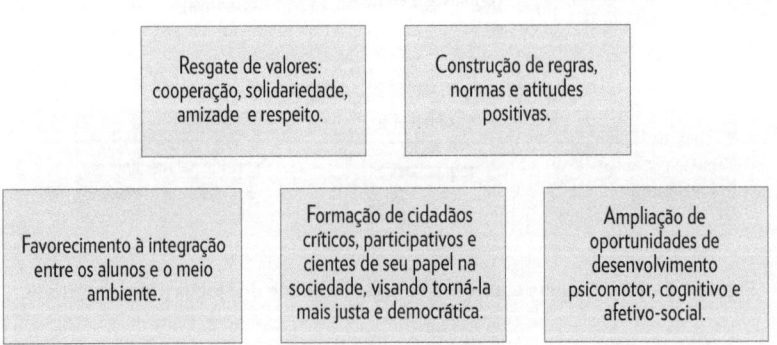

Figura 1.2 – Tópicos da ação educativa dos jogos.[16]

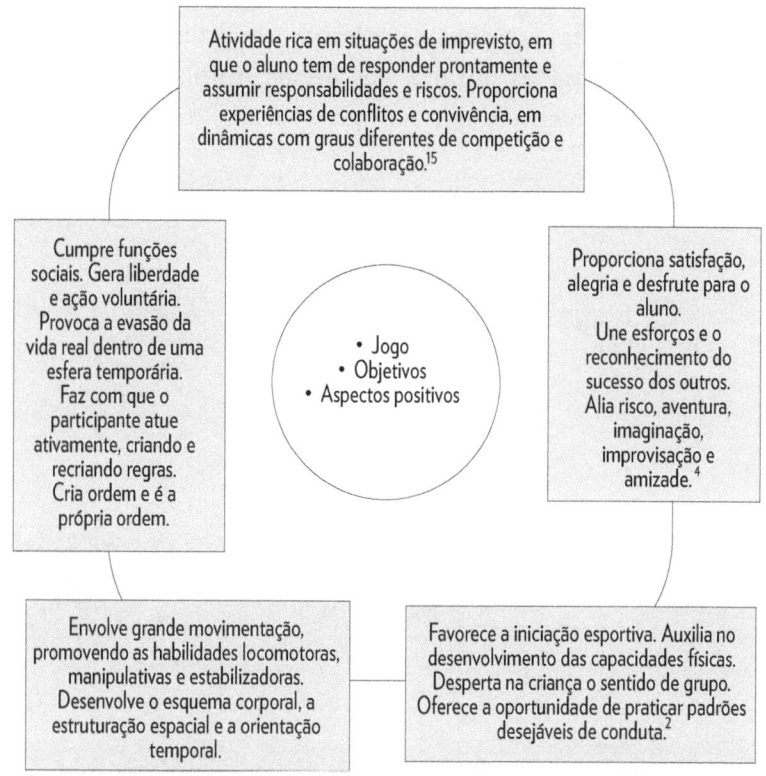

Figura 1.3 – Vantagens diversas de aplicarmos jogos nas aulas de Educação Física.

Muitas linhas de trabalho ou abordagens pedagógicas inserem o jogo ou a brincadeira como fator decisivo no processo de aprendizagem. Mesmo que se modifique a forma de ensino ou a metodologia, esses conteúdos estão presentes como ferramenta determinante no sucesso da tarefa do professor com o seu aluno.

Viabilizar o contexto educativo é um procedimento árduo e que envolve diversas vertentes que devem convergir em um único foco: o aluno e o seu desenvolvimento e amadurecimento. Desse modo, na tentativa constante de chegar ao foco proposto, as pessoas envolvidas na educação passam por situações de aflição porque muitas das vezes o que vemos são resultados decepcionantes ou alunos desistindo do próprio estudo.

Nessa área de atuação, por mais que os alunos gostem da disciplina, os problemas também ocorrem, e por isso é primordial utilizar artifícios que envolvam estímulos e desafios aos alunos. Ampla é a problemática, mas é possível resolvermos algumas questões da Educação Física.

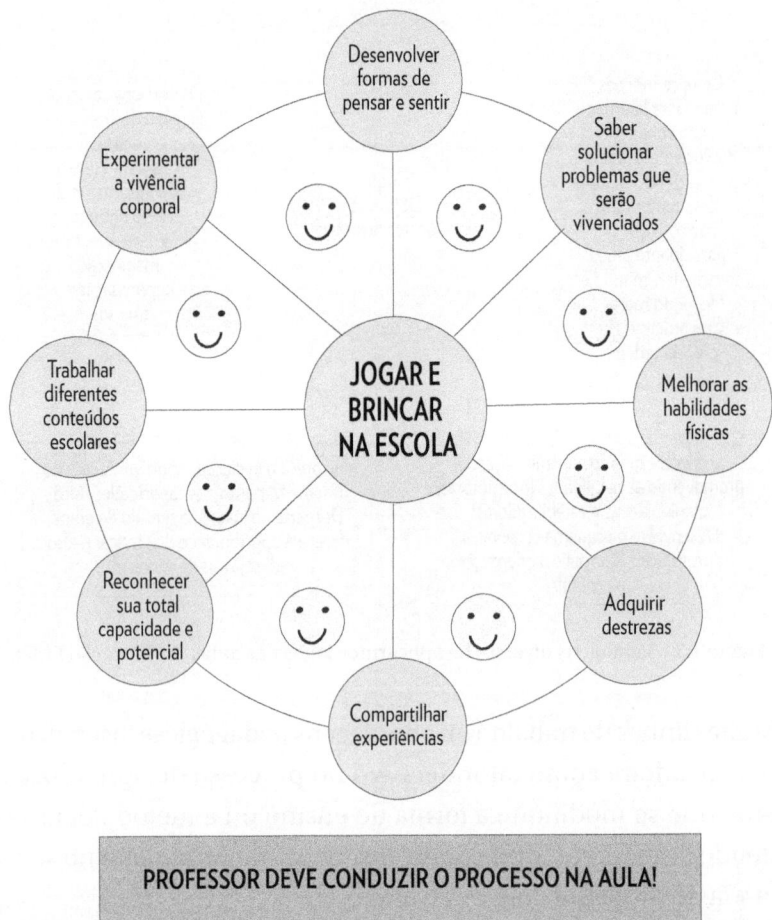

Figura 1.4 – "Roda-gigante" de aspectos positivos dos jogos e brincadeiras para as crianças.[4,10,11,14]

O jogo e o esporte aplicado na escola deve ser um instrumento educacional, contribuindo para a construção de valores éticos e morais, coibindo a competição exagerada ou a busca do resultado satisfatório a qualquer custo.[16] Na infância, a prática do jogo pode ser um importante elemento canalizador de cooperação, colaboração, humildade, responsabilidade, alívio de pressão e tensões, entre outros fatores como, inclusive, a oportunidade que a criança tem de mostrar espontaneidade, sinceridade, bem como de demonstrar a condição de projetar suas aptidões, medos, fraquezas e suas nobrezas para os outros.[4]

O esporte ou o jogo são aspectos da motricidade humana, formalizando um ótimo exemplo de que a "ciência da motricidade humana" procura verdadeiramente demonstrar: que esses elementos são fatores indispensáveis para o desenvolvimento dos alunos.[1] A literatura atesta que a criança e o adolescente estão em plena formação psíquica e motora na fase escolar, por isso o professor de Educação Física é considerado um importante aliado na construção do alicerce que interferirá na vida adulta de cada um.

Libâneo (1991) sinaliza que o processo educativo é sempre contextualizado social e politicamente, ocorrendo uma subordinação à sociedade, que exige certas tarefas e posturas.[2] Vejo que o jogo na escola para a criança será um momento de incorporar ações, valores, respeito às normas e condutas, o que fará valer essa situação descrita anteriormente. Em resumo, o ato de jogar na aula poderá contribuir para a assimilação de situações que a pessoa vai enfrentar ao longo da vida.

É necessário programar atividades que estimulem e enriqueçam o repertório motor, afetivo e cognitivo dos alunos, desde que respeitemos os princípios que fazem parte da Educação Física escolar. A criança utiliza o seu corpo como instrumento para expressar pensamentos e emoções que talvez ainda não saiba ou não consiga mostrar por meio de palavras.[11] A expressão corporal, que é tão destacada nessa disciplina, leva ao ápice desse quadro.

O universo dos jogos e brincadeiras deve estar atrelado ao desenvolvimento da criança desde seus primeiros anos de vida, para que dessa forma ocorra o processo integral de formação, e sempre respeitando a individualidade biológica de cada aluno. Para essa formação, as intervenções pedagógicas são fundamentais.[11] A escola, a Educação Física e o professor são os mediadores de tal processo, de tal formação, ou seja, dessa almejada educação e intervenção. Logo, é imprescindível que usemos vários meios e métodos, com conteúdos diversificados e com base em várias teorias e linhas de pensamento.

De fato, podemos interferir, sim, e de forma positiva no processo educacional, acreditando que a constante ação levará ao êxito, mesmo que isso seja um artifício desafiador e prolongado.

Ferreira (2002) enfatiza que essa disciplina, bem como o esporte em si, devem colaborar na atualidade com a busca da qualidade de vida, desde que a sua prática vá além da simples economia de gestos, assumindo um compromisso com a educação dos sentidos, ou seja, desenvolver a arte de vivência estética, ouvir, ver, cheirar, apalpar e ter a melhor capacidade de conhecer humanamente o mundo.[14]

1.2 – Os benefícios da prática dos jogos escolares

Muitos são os tópicos que posso citar em relação ao objeto de estudo desta obra, de acordo com vários autores pesquisados. A grande questão é saber como utilizá-los, na dose correta, nas aulas de Educação Física ao longo do cronograma escolar para que se tenha uma boa produção no processo.

A aprendizagem motora é um dos elementos que fazem parte da dinâmica de uma esquematização de treinamento periodizada de qualquer atleta. Outros tópicos que a compõem são: biomecânica, testes, avaliações, programação, nutrição, medicina esportiva e fisiologia.[3] Isso não quer dizer que penso que todo aluno vá seguir a carreira esportiva profissional, mas, se isso ocorrer, a vivência motora nos jogos terá contribuído de forma direta ou indireta. Os jogos ao longo da infância e adolescência produzem o desenvolvimento de habilidades e capacidades biomotoras (força, velocidade, resistência, flexibilidade e coordenação),[3] portanto, sua vivência adapta satisfatoriamente a criança para a aptidão física e iniciação à prática de atividades voltadas para a saúde. Outros benefícios citados para crianças e adolescentes estão destacados na Figura 1.5, relacionando a prática esportiva nesta faixa etária.

Figura 1.5 – Efeitos benéficos na qualidade de vida da criança e do adolescente gerados pela prática de atividade física.[7]

Ensinar ou educar por meio dos jogos, das brincadeiras ou dos esportes pode conduzir o jovem a buscar uma melhor qualidade de vida, enriquecendo seu acervo cultural e aumentando sua longevidade, ou seja, melhora sua condição de saúde e, ao mesmo tempo, mostra a ele o que fazer com essa vida mais longa na relação com os outros.[14] Essa árdua tarefa se propõe aos professores da disciplina, constituindo uma batalha diária mas que traz alegrias e satisfações.

Quanto maiores e melhores forem os estímulos na fase de desenvolvimento da criança, maior será a rede de conexões (sinapses) entre os neurônios, conferindo uma enorme capacidade de aprendizagem (Figura 1.6), e são os estímulos sensoriais que promovem essas conexões.[10] Jogar, brincar, correr, pular, escalar, bem como discutir relações e procedimentos, são fatores extremamente favoráveis para que cheguemos a tal quadro. A Educação Física escolar pode, com certeza, oferecer em larga escala as condições para o aprendiz vivenciar todos esses elementos.

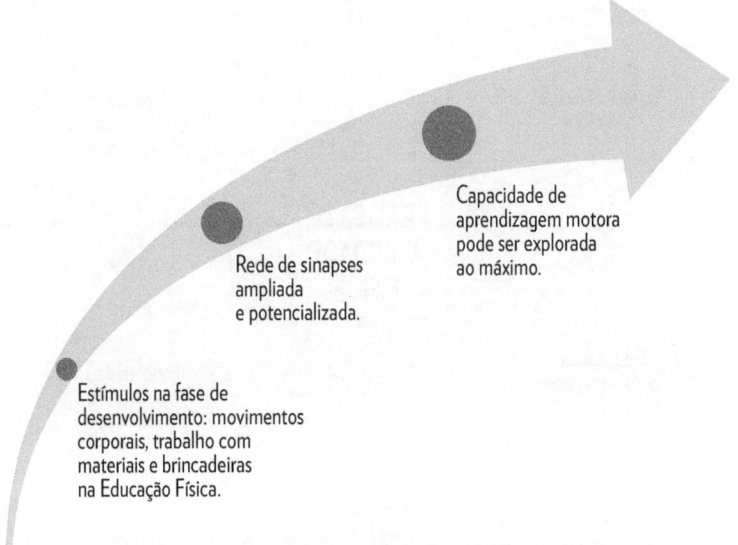

Figura 1.6 – Relação de vivências corporais (estímulos) e maior possibilidade de desenvolvimento motor da criança.[10]

A infância é o melhor momento para a estimulação cerebral, pois é quando ocorre a sua maior plasticidade neural. As estratégias didáticas têm um papel fundamental para o seu desenvolvimento neurológico.[10] A concentração e a atenção, bem como a memorização de regras, fazem parte dos jogos e das brincadeiras que usamos nas escolas, levando ao propósito descrito do desenvolvimento neural da criança. Além do mais, é uma forma empolgante e alegre para trabalhar essas estruturas educativas nos alunos.

Paralelamente ao uso de qualquer conteúdo nas aulas, é importante impor limites, regras, normas, dar exemplos, fazer comparações e incentivar os alunos, sempre tendo um desafio no dia a dia. O trabalho é difícil, mas vale a pena no momento da superação e da conquista, quando efetivamente colocamos em prática um determinado conteúdo com sucesso, como o jogo, e chegamos à satisfação pessoal e profissional, além de alcançar objetivos claros com os alunos. Ademais, percebemos também a empolgação dos participantes na atividade, o que nos dá um retorno muito favorável.

Na prática, entendemos que é mais fácil e eficiente para o aluno aprender por meio de jogos, fenômeno que é válido para todas as idades, porque o conteúdo possui componentes do cotidiano e o envolvimento desperta o interesse do aprendiz, que passa a ser um sujeito ativo do processo escolar. Além disso, a possibilidade da confecção de novos jogos – cito, como exemplo, os jogos cooperativos e os jogos de construção para essa demanda de criação por parte do grupo de alunos – pode ainda ser um fator mais emocionante do que simplesmente jogar.[10]

Como essa área de conhecimento possui uma aceitação satisfatória quanto à sua importância, assumindo, com isso, o seu papel pedagógico, os jogos são verdadeiramente uma alternativa viável para serem trabalhados na escola. Assim, a Educação Física escolar deve objetivar o desenvolvimento integral do aluno, fazendo com que ele seja mais independente, criativo, crítico, responsável e consciente. Para conseguir tal êxito e, ao mesmo tempo, tornar a aula mais agradável e produtiva, podemos usar essa ferramenta.[2]

A complexidade da vivência dos jogos na escola (Figura 1.7) envolve os tipos de jogos, os componentes que são aperfeiçoados, os fatores educativos envolvidos e o alcance da proposta objetivada pelo professor.

Os jogos são elementos primordiais nos aspectos pedagógicos relacionados ao desenvolvimento dos alunos, gerando benefícios, por exemplo: desenvolvimento das capacidades físicas básicas; aprimoramento das qualidades intelectuais e da capacidade criativa ("imaginário"); crescimento global do ser humano. O jogo solidifica um momento de interação social extremamente significativo, no qual haverá motivação suficiente para que o interesse pela atividade em si seja mantido por toda a prática. O aspecto lúdico tem intrínseca relação com o desenvolvimento da criança.[13] Na verdade, jogo e ludismo andam sempre juntos.

Vimos no decorrer do capítulo que o jogo atende a objetivos voltados para diversos campos de atuação nossa, como:
- aprendizagem motora;
- aspectos fisiológicos;

- capacidades físicas;
- fatores direcionados à saúde;
- prevenção de doenças;
- desenvolvimento neurológico;
- resgate de valores sociais;
- melhora da qualidade de vida.

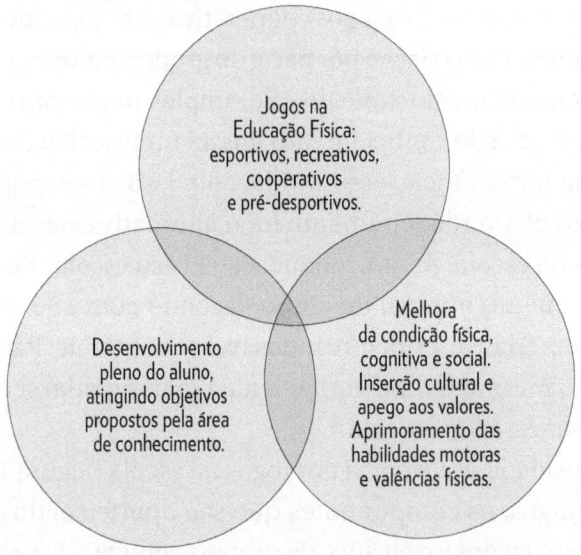

Figura 1.7 – Relação da complexidade de vivência dos jogos escolares.

1.3 – A atuação do professor na escola ao aplicar os jogos

Ao aplicar os jogos na quadra esportiva, mais do que nunca temos a oportunidade de agir como educadores, propiciando a alegria de jogar e brincar para os alunos, e também cabendo a nós professores a efetivação do ato de ensinar, de demonstrar exemplos positivos, bem como de corrigir, incentivar, valorizar a saúde, valorizar a prática da atividade física e contribuir na formação do público-alvo. A ação do professor é primordial, desafiadora e árdua, pois questões pessoais estarão envolvidas, já que o jogo engloba tanto o aspecto emocional da criança e do adolescente quanto a disciplina e o compromisso com normas. Assim, é missão do educador ter o conhecimento, a experiência e o discernimento adequado para controlar a aula e não deixar de ensinar ao seu grupo discente.

O bom educador, ao ministrar aulas de Educação Física, deve ter a consciência do que é realmente importante e fundamental para atender às necessidades primordiais dos alunos em cada faixa etária. A experiência de sala de aula leva o profissional ao êxito dessa tarefa, mas é preciso não somente vivência e tempo de serviço, mas também estudo e pesquisa, além de investigação e acompanhamento do processo de ensino.

A presença da Educação Física na escola deve se dar por sua própria relevância, e não por questões obrigatórias no âmbito legal, já que sabemos que a disciplina não alcançou ainda o devido reconhecimento de seus valores, mas as diversas manifestações da expressão da cultura corporal que atendem à demanda de seu contexto podem justificar sua presença e importância na formação de um aluno e, por consequência, do cidadão.[14] Valendo dessa tese, o professor deve agir com firmeza e competência na escola, para que então tentemos reverter esse quadro, que no momento ainda está, de certa forma, desfavorável para nós, educadores físicos.

Muitas são as reflexões atuais sobre o que realmente é a Educação Física, qual o campo de atuação do professor, a área de conhecimento envolvida, seus respectivos conteúdos, bem como o que esta matéria de ensino representa no contexto escolar. Porém, é preciso considerá-la como matéria do currículo regular, entendendo que ela não pode ter tarefas diferenciadas das demais disciplinas, apesar de apresentar certas peculiaridades.[15]

Temos o compromisso, nas aulas, de inclusão e participação, partindo da premissa de que qualquer indivíduo está apto a aprender e desenvolver suas potencialidades. Também se faz necessário, em algumas oportunidades, alterar, adaptar, reduzir ou elevar a complexidade das regras dos jogos (como de qualquer outra atividade). O intuito é oportunizar a todos, aumentando o grau de participação, mas enfatizando que é primordial fazer com que o jovem esteja envolvido na atividade, bem como que a compreenda e se comprometa com ela, para que por fim vivencie de forma ativa a construção das próprias situações educativas.[16] Todos os jogos podem ser modificados no momento de sua aplicação, buscando um fator útil, divertido e concreto para o grupo, pois dessa forma estaremos sempre levando em consideração a diversidade dos alunos.[4] Saliento que é próprio dessa disciplina a capacidade de modificação para a melhor prática de todos.

O jogo deve ser desafiador, com elementos que não sejam nem tão difíceis nem tão fáceis. A cooperação e a autonomia devem ser trabalhadas na ação do jogo escolar. A estratégia é outro fator relevante no processo.[16] Muitas vezes cometemos erros ao subestimar os alunos quanto a sua real condição de praticar os elementos das atividades ministradas em aulas de Educação Física. O professor deve estar atento e observar o nível de dificuldade do jogo ou qualquer atividade aplicada em aula. As múltiplas questões que envolvem a escola necessitam de um trabalho dinâmico e versátil para que ocorra o devido acompanhamento do aluno.

É fundamental o cuidado permanente para que o jogo não seja dado sem objetivo pedagógico nenhum, apenas pelo simples prazer de jogar; ao contrário, é preciso elevar o grau de complexidade dessa atividade para atingir os objetivos propostos nos termos sugeridos da Educação Física em todos os níveis de aprendizado. É importante que seja feito um jogo empolgante, alegre e rico em desenvolvimento, colocando um sentido para o grupo de alunos e para nós mesmos, enquanto profissionais da área.

Qualquer conteúdo que faz parte da aula pode ser bem aproveitado e render uma ótima contribuição se for devidamente estruturado, pensado e articulado, mas na mesma proporção poderá se perder, não atingindo esse grau de excelência, caso não haja por parte do professor a sistematização devida e necessária. Devemos considerar as três dimensões da área (Figura 1.8) sempre que trabalharmos qualquer conteúdo em aula. A proposta vista de forma íntegra levará a melhores resultados.

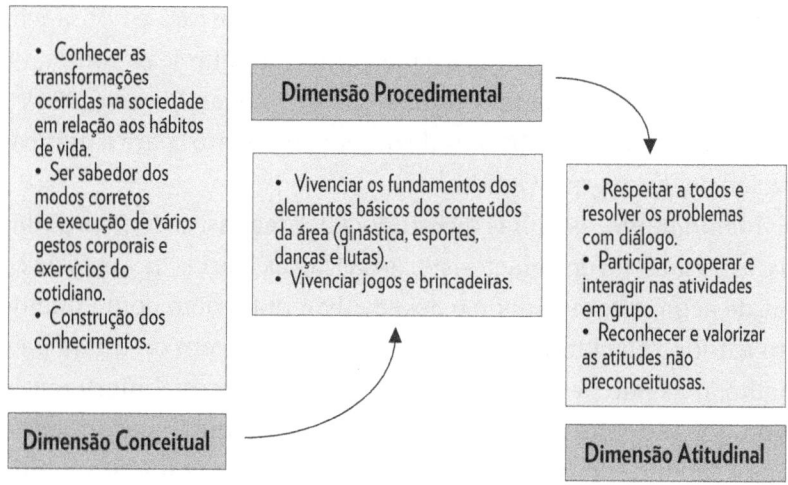

Figura 1.8 – As três dimensões da Educação Física.[5,8,9]

É uma constante desenhar os objetivos de cada aula com o envolvimento dessas três dimensões, pensando que a ação motora está ligada à cognição e está dentro de valores e questões afetivas.

Outro tópico importante é a atuação do professor em relação aos alunos mais habilidosos, que devem ser orientados para atuar melhor ainda nos jogos e ao mesmo tempo auxiliar a aprendizagem coletiva, pois isso resultará em possibilidades maiores para todos. Assim, durante o jogo, os alunos menos habilidosos podem se sentir mais incluídos no processo de aprendizagem, recebendo apoio de professor e colegas, assimilando de forma mais clara quais objetivos devem seguir para avançar no seu desenvolvimento e evolução.[16] A prática do jogo é uma excelente oportunidade para concretizar esse quadro na Educação Física.

Não devemos obrigar os alunos a se comportar desta ou daquela maneira especificamente nos jogos que aplicamos nas aulas, mas sim levá-los a tomar consciência de que a participação de todos os seus colegas de equipe é igualmente importante, tanto quanto a sua participação. É primordial a busca da cooperação para a inclusão coletiva, o que deve preponderar diante da busca incessante do resultado positivo, ou seja, cabendo ao educador propor regras que colaborem para tal ação ocorrer com produtividade e sucesso.[12]

No âmbito das regras, normas de conduta, postura e cobrança do professor em relação ao aluno e à faixa etária em que se encontra, utilizamos como referência importante o estudo de Jean Piaget (1994),[6] no qual foram propostos os "Níveis de desenvolvimento" para a prática e a consciência das regras (Quadro 1.1).

Evidentemente, as linhas de estudo, abordagens, correntes pedagógicas, estruturação de características das faixas etárias, normas de condutas de acordo com a idade e desenvolvimento, bem como qualquer outro estudo relacionado, são importantes e servem de apoio para o trabalho, mas não devemos deixar de lado fatores que interferem nos alunos, que são seres em constante adaptação e mudança, ou seja, nós somos e estamos aptos a modificações que vão, de certa forma, alterar o quadro proposto inicialmente em teses ou estudos sobre o desenvolvimento humano.

O professor de Educação Física, bem como os demais colegas de profissão, deve estar atento aos dizeres dos livros e ao seu aluno, acompanhando a sua evolução e as suas dificuldades na escola, para que talvez o insucesso seja evitado, fazendo com que a tão almejada formação do cidadão aconteça.

Quadro 1.1 – Estudos de Jean Piaget: "Níveis de desenvolvimento" para a prática e a consciência das regras[6]

FAIXA ETÁRIA	"PRÁTICA DA REGRA"	"CONSCIÊNCIA DA REGRA" (JOGOS A SEREM APLICADOS)
Até 3 anos	Motor individual: a criança não participa das questões sociais presentes nos jogos. Devemos nos ater somente à aplicação formal dos esquemas de ação (esquema corporal e aspectos psicomotores essenciais à idade). Extremamente prematuro trabalhar atividades que envolvam regras nas aulas.	0 a 3 anos: Não obrigatoriedade das regras ("anomia"). A criança não valoriza a necessidade da regra, não pratica e não demonstra consideração pelas regras. Qualquer mudança nas normas é facilmente aceita.
3 a 6 anos	Egocêntrico: há a presença da regra, provavelmente aprendida de crianças maiores, mas sem o seu cumprimento. A incompreensão das regras ocorre observando com frequência nos jogos somente os vencedores, e nunca os perdedores. O aluno demonstra exibir suas habilidades motoras que apresentaram sucesso, mesmo que tenham sido diferentes daquelas propostas pelo professor. Não há o menor esforço para utilizar a regra.	A rigidez maior com as regras ("heteronomia") surge dos 4 aos 6 anos, durante os quais a criança vai demonstrar maior comprometimento com as regras, mas ainda com certa oscilação. Até 2-3 anos: "Jogo de exercício" ou "Jogo de repetição". 3 a 6 anos: "Jogo simbólico".
6 a 11 anos	Cooperação nascente: rigor em relação às regras. A criança apresenta postura firme sobre si e sobre os colegas no que diz respeito às regras dos jogos. O prazer pela vitória é mais evidente.	Obrigatoriedade sagrada ("heteronomia"): não é aceita qualquer alteração ou adaptação à regra tradicional do jogo ou aquelas propostas inicialmente pelo professor. A criança é radicalmente contrária à mudança das regras, embora seja capaz de fazê-la. "Jogo de regras".
11 anos em diante	Codificação das regras: grande interesse pelas regras dos jogos, chegando a elaborar estratégias e discutir novas regras. A busca é intensa pela vitória, inclusive procurando tirar proveito e superar o adversário dentro do próprio cumprimento da regra do jogo.	Obrigatoriedade devido ao consentimento mútuo ("autonomia"): o aluno passa a ter consciência da arbitrariedade e da necessidade das regras (mantidas ou modificadas) dos jogos, sendo estas fruto de cooperação e aceitação mútua entre os participantes. Ocorre uma codificação democrática. "Jogo de regras com estratégia".

Esse estudo caracteriza de forma bem definida cada momento da criança no jogo escolar, cabendo ao professor entender tal fenômeno e usufruir da melhor maneira.

Pensando nessas questões, uma das melhores alternativas dentro da aula é o jogo. É um elemento que serve de base, preparando para o esporte em si, mas também gera alegria e integração, além de trabalhar valores da formação da personalidade como a humanização, organização, respeito às regras, fatores éticos e morais. Nas crianças, os jogos proporcionam liberação de energias acumuladas e que precisam ser gastas, funcionando como uma "válvula de escape". No momento da aplicação do jogo é importante tomar certos cuidados no sentido de não exagerar na exigência da técnica de execução do movimento.[18] As aulas de Educação Física devem utilizar os mais diversos tipos de jogo com uma sistematização, estruturação e objetivos específicos determinados pelo professor. Oferecer uma atividade prazerosa é uma condição satisfatória, mas devemos ter em mente que o jogo é um conteúdo do programa escolar que atingirá metas propostas por essa disciplina. Que não esqueçamos os estudos relacionados, como os níveis de desenvolvimento citados anteriormente.

No decorrer do jogo podemos e devemos definir e distribuir tarefas, tanto utilizando regras estabelecidas quanto modificadas. Também é importante discutir as regras e estratégias, promovendo debates e levantamento de opiniões sobre sentimentos e emoções vivenciados durante todo o processo de aplicação do jogo.[10]

Portanto, o condutor da atividade (no caso, o professor) deve valorizar o máximo o seu próprio trabalho, absorvendo do aluno o seu potencial quando está atuando em um jogo escolar.

1.4 – Conteúdos da Educação Física escolar

Embora haja muitas divergências nos conceitos da disciplina, no que se refere aos blocos de conteúdos encontra-se certa concordância entre os muitos autores e estudiosos do assunto. Talvez o que mude sejam os tópicos ou temas que compõem cada bloco, de acordo com movimentos determinados culturalmente, regiões do país, costumes ou linhas de ensino de cada ramificação escolar, bem como com a própria característica pessoal de alunos e professores.

Conhecer e aprofundar o bloco de conteúdo a ser aplicado nas aulas, relacionando-os com os objetivos propostos, levará à devida potencialidade de conquista do trabalho, independente do bloco de conteúdo. Deve haver um equilíbrio na elaboração do currículo de Educação Física na educação básica. Apresento inicialmente, como referência, duas linhas de blocos de conteúdos da disciplina.

A primeira proposta inclui os seguintes tópicos:[19]
- Conhecimento sobre aptidão física.
- Educação de desportos.
- Trabalho das habilidades motoras avançadas (complexas).
- Jogos diversificados.
- Habilidades de atividades rítmicas.
- Habilidades motoras fundamentais.
- Habilidades pessoais e afetivo-sociais.

Na descrição, com a devida distribuição dos elementos citados constando no planejamento, a dinâmica deve levar ao bom trabalho do professor no processo educacional.[19]

Na segunda proposta estão os conteúdos básicos (blocos de conteúdos) que norteiam o planejamento anual da Educação Física escolar (Figura 1.9), na qual observamos uma forma de direcionar o professor a estruturar melhor o seu trabalho durante o cronograma anual.

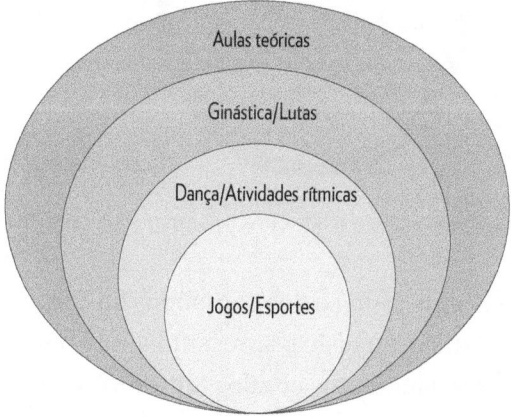

Figura 1.9 – Elementos básicos da Educação Física escolar (blocos de conteúdos).

Comparando essas duas linhas, pude perceber que alguns termos são diferentes, mas a essência é a mesma, como é o caso de uma delas citar "Habilidades de atividades rítmicas" e a outra citar "Dança/Atividades rítmicas", bem como "Educação de desportos" e "Jogos/Esportes".

A terceira amostra de blocos de conteúdos usa como referência os Parâmetros Curriculares Nacionais (PCNs), fazendo uma divisão em três segmentos e agrupando alguns elementos que aparecem separados em outras citações:[17]

• Conhecimentos sobre o corpo.
• Atividades rítmicas e expressivas.
• Esportes, jogos, lutas e ginástica.

Em destaque, dentro do bloco de jogos, temos o jogo pré-desportivo, principal conteúdo de aula pesquisado, com peculiaridades que devem ser levadas em consideração (Figura 1.10). A diferenciação se faz, sobretudo, em relação à introdução de elementos voltados para fatores táticos básicos, como marcação, desmarcação e posicionamento, além de utilizar algumas regras oficiais e outras adaptadas dos esportes.

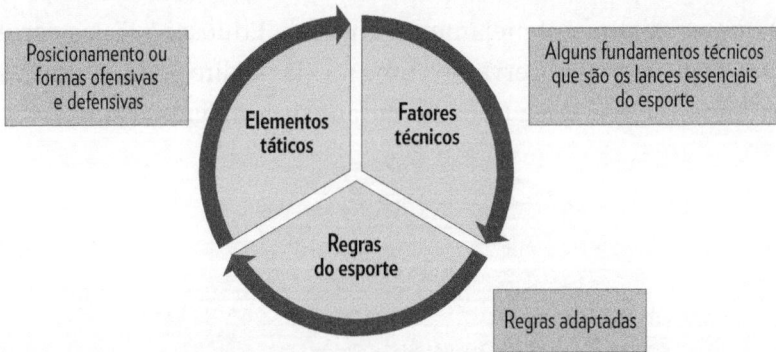

Figura 1.10 – Três parâmetros que devem compor o jogo pré-desportivo.

Dentro da mais breve síntese dos conteúdos da cultura corporal que podem compor a Educação Física, apresento ainda outra proposta que estrutura os mesmos elementos citados anteriormente, mas com uma configuração diferente:[8]

- Jogos e brincadeiras (tradicionais, folclóricos e populares).
- Danças da cultura corporal (tradicionais, folclóricas e populares).
- Esportes e lutas (tradicionais, folclóricos e populares).
- Expressão corporal (circenses, acrobacias, teatralizações e tradicionais).

De qualquer forma, entendo que, independente do conteúdo, o mais importante e decisivo é a capacidade de atuação do profissional, que leva à efetividade do processo com os alunos.

> Eficácia na atuação do professor → Sucesso na atividade aplicada na aula

A soberania desse aspecto, quando falamos em conteúdo, se faz na verdade nos objetivos que estão atrelados aos conteúdos ministrados a cada aula, e não pelo processo incompleto, podendo, dessa forma, consolidar com sucesso a assimilação do aluno envolvido. Antes de poder criticar qualquer conteúdo ou elemento da aula de Educação Física, é necessário entender o fenômeno associado, quando pensamos em atingir metas e alcançar o pleno desenvolvimento das crianças e adolescentes.

Façamos um ótimo trabalho nas escolas e, dessa forma, poderemos auxiliar de forma efetiva na educação dos alunos, contribuindo para a tão difícil missão de transformar a nossa sociedade, que apresenta injustiças, problemas com a política, educação, cultura e cidadania. Em resumo, a escola e os docentes da educação básica podem tentar melhorar essa situação com a ação pedagógica diária com crianças e adolescentes.

Referências bibliográficas

1. ANJOS, R. Introdução à ciência da motricidade humana. In: MEDINA, J. P. S. et al. (Colaboradores). *A educação física cuida do corpo... e "mente"*: Novas contradições e desafios do século XXI. 25. ed. Campinas, SP: Papirus, 2010.

2. ARAÚJO, R. A. S. *A educação física na formação inicial:* prática pedagógica e currículo. São Luís, MA: 360º Gráfica e Editora, 2014.
3. BOMPA, T. O. *Periodização: teoria e metodologia do Treinamento.* Tradução de Sergio Roberto Ferreira Batista. São Paulo: Phorte Editora, 2002.
4. CASTRO, A. *Jogos e brincadeiras para Educação Física:* desenvolvendo a agilidade, a coordenação, o relaxamento, a resistência, a velocidade e a força. Tradução de Guilherme Laurito Summa. 2. ed. Petrópolis, RJ: Vozes, 2014.
5. DARIDO, S. C.; SOUZA JÚNIOR, O. M. *Para ensinar Educação Física:* possibilidades de intervenção na escola. Campinas, SP: Papirus, 2007.
6. FERRAZ, O. L. O esporte, a criança e o adolescente: consensos e divergências. In: ROSE JR., D. D. et al. *Esporte e atividade física na infância e na adolescência:* uma abordagem multidisciplinar. 2. ed. Porto Alegre: Artmed, 2009.
7. FLORINDO, A. A.; RIBEIRO, E. H. C. Atividade física e saúde em crianças e adolescentes. In: ROSE JR., D. D. et al. *Esporte e atividade física na infância e na adolescência:* uma abordagem multidisciplinar. 2. ed. Porto Alegre: Artmed, 2009.
8. GALLARDO, J. S. P. *Prática de ensino em educação física:* a criança em movimento. São Paulo: FTD, 2010. (Coleção Teoria e Prática).
9. LIMA, A. *Educação Física:* mais de 400 questões com gabarito comentado. Rio de Janeiro: Elsevier, 2010.
10. LOPES, M. G. *Jogos na educação:* criar, fazer, jogar. 7. ed. São Paulo: Cortez, 2011.
11. MACHADO, J. R. M.; NUNES, M. V. S. *Educação Física na educação infantil.* Rio de Janeiro: Wak Editora, 2012.
12. MONTEIRO, F. *Educação Física escolar e jogos cooperativos:* uma relação possível. São Paulo: Phorte, 2012.
13. MOREIRA, V. C.; ROMAN, E. P. A importância dos jogos no desenvolvimento da criança. In: AWAD, H. (Org.). *Educação Física escolar:* múltiplos caminhos. Jundiaí, SP: Fontoura, 2010.
14. NISTA-PICCOLO, V. L.; MOREIRA, W. W. *Esporte como conhecimento e prática nos anos iniciais do ensino fundamental.* Colaboração no re-

pertório de atividades de Alessandra Andrea Monteiro, Raquel Stoilov Pereira e Evandro Carlos Moreira. São Paulo: Cortez, 2012.
15. PALMA, A. P. T. V.; OLIVEIRA A. A. B.; PALMA, J. A. V. *Educação Física e a organização curricular:* educação infantil, ensino fundamental e ensino médio. 2. ed. Londrina, PR: Eduel, 2010.
16. ROSSETTO JR. A. J. et al. *Jogos educativos:* estrutura e organização da prática. 4. ed. São Paulo: Phorte, 2008.
17. SALES, R. M. *Teoria e prática da educação física escolar.* São Paulo: Ícone, 2010.
18. TEIXEIRA, H. V. *Educação Física e desportos.* Técnicas, táticas, regras e penalidades. São Paulo: Saraiva, 1995.
19. VIRGILIO, S. J. *Educando crianças para a aptidão física:* uma abordagem multidisciplinar. 2. ed. Barueri, SP: Manole, 2015.

- CAPÍTULO 2 -
Educação básica: estilos de ensino e abordagens pedagógicas

As linhas de ensino e as abordagens pedagógicas são importantes no desenvolvimento do trabalho do professor, desde que o profissional tenha discernimento no momento da elaboração de conteúdos, objetivos e estratégias, além da aplicação prática da aula em si. A sabedoria se faz com a devida distribuição dos elementos das diversas linhas de ensino. Logo, uma única corrente da prática docente não deve orientar todo o trabalho do professor na escola.

Impecável seria o gerenciamento do professor diante de seus alunos se houvesse o total acordo do pensamento teórico embasado nas abordagens pedagógicas com a efetiva e real ação prática no decorrer das aulas. A viabilidade disso é difícil, porém não completamente impossível. Entendo que o conhecimento adquirido pelo educador venha a ser aplicado na prática desde que haja um sublime alinhamento de fatores, como: disposição do professor, disposição dos alunos, conscientização dos envolvidos no contexto, auxílio da instituição de ensino e retorno satisfatório para todas as direções participantes.

Assim, desprezar qualquer linha de pensamento, metodologia ou prática pedagógica é um grande erro educativo, pois é sinônimo de estar limitando a possibilidade de ampliação de todas as riquezas e complexidades pedagógicas que cada uma delas pode trazer para o processo de ensino-aprendizagem.

Sacristán (1992) salienta que o professor não deve atuar seguindo modelos ou padrões formais, mas sim elaborar estratégias de intervenção precisas para poder evitar equívocos nos moldes de ensino, determinando assim a sua prática de modo a flexibilizar as correntes filosóficas ou as declarações preestabelecidas de objetivos e conteúdos propostos.[11]

O conhecimento científico e as diversas teorias pedagógicas são indispensáveis para um melhor aprendizado por parte do aluno, bem como para a conscientização e compreensão de caminhos alternativos, mas a mescla de linhas de ensino e metodologias vai enriquecer o processo escolar. A linha pedagógica e a aplicação de um jogo na escola estão intensamente associadas, podendo levar ao sucesso de um determinado objetivo. Do contrário, a realidade pode ser o fracasso do educador em obter ganhos com o uso do citado jogo escolar, bem como de qualquer outro conteúdo.

2.1 – Principais estilos de ensino utilizados

Para alcançar objetivos diversos e grupos heterogêneos, é primordial a utilização de vários estilos de ensino. Uma abordagem compatível com diferentes estilos de ensino e em momentos distintos levará a aulas mais interessantes e acessíveis a todos os aprendizes e, por consequência, a melhores resultados. O profissional deve verificar antes o objetivo a ser alcançado e o conteúdo a ser ministrado, para então pensar na metodologia. Para que o trabalho seja eficiente, é necessário que o professor possua um repertório amplo de estilos e técnicas, além de ser inovador e criativo. Não deve o docente crer que um estilo é superior a outro, pois na verdade todos possuem pontos positivos e negativos.[16] O método de ensino diz respeito às técnicas, aos recursos e aos procedimentos utilizados pelo docente, de forma inteligente e racional, para viabilizar o aprendizado de seus discentes.

Veremos a seguir alguns estilos de ensino propostos por autores especializados.

• Estilos de ensino diretos são mais convencionais quando centrados no professor, que, nesses casos, toma a maioria das decisões relacionadas ao desempenho.[6]

• Estilos de ensino indiretos são mais centrados no aluno, permitindo que ele desempenhe um papel ativo no processo de aprendizagem, com a mediação do condutor (professor), que utiliza algumas ferramentas, como: solução de problemas, experimentação, autodescoberta, entre outros.[6]

Para a análise e experimentação nas aulas de Educação Física, temos a possibilidade dos seguintes métodos de criatividade:[15]

• Método das perguntas operacionalizadas: estimular a criatividade, promovendo a incerteza, momento em que o aluno constata que possui muitas respostas possíveis.

• Método da análise: a exploração de partes que compõem um todo para maior compreensão e conhecimento possibilitará e facilitará o surgimento de mais e novas ideias.

• Método da análise-síntese: união de elementos e partes, de modo a formar um todo, desenvolvendo um comportamento criativo. O método pressupõe a combinação de partes para formar uma nova esfera, uma nova solução, sem que ocorra necessariamente o ato da análise seguido do ato da síntese.

• Método *brainstorming* (tempestade de ideias): facilitar o pensamento crítico e criativo. A expressão livre de ideias é estimulada permanentemente. Trabalhar em situações de grupo, espontaneidade, combinações de ideias, espírito crítico e execuções de ações.

• Método *checklist* (lista de checagem): estimula a imaginação e a capacidade de redefinição. O método procura, por meio de uma categoria de perguntas, desenhar uma área de abrangência do problema, visando ideias mais criativas.

A relação de estilos de ensino mais utilizados e que apresentam maior eficiência estão detalhados a seguir (Quadro 2.1). As diferenças podem ser notadas com clareza no que diz respeito à atuação do professor.

Quadro 2.1 – Estilos de ensino e as respectivas características[3,16]

Estilo Comandos	Centralizado no professor, é um método de ensino de habilidades motoras que respeita uma longa tradição. Controle direto, instrução, demonstração e explicação da técnica cabem ao profissional. A filosofia é que o aluno aprenda a tarefa conforme a decisão tomada pelo professor. Vantagens: uso eficiente do tempo, desenvolvimento da habilidade de ouvir e otimização da supervisão do grupo. Pode ser útil ao introduzir uma nova atividade na aula. Importante em momentos em que o professor não tem disponível muito espaço físico ou material.

Estilo Tarefas (Estilo de Práticas)	Propicia aos alunos uma maior responsabilidade pelo processo de aprendizagem. O professor mantém o papel de decidir pelo conteúdo, objetivo e estratégia da aula. Porém, é permitido que os discentes executem a tarefa de acordo com o próprio ritmo. Neste estilo, o aprendiz tem mais tempo para praticar a habilidade, respeitando a individualidade, além de receber uma resposta do professor.
Estilo Avaliação Recíproca	Este estilo é altamente centrado no aluno. O professor determina objetivos e conteúdos do processo de aprendizado, mas os alunos terão a incumbência de assumir a responsabilidade de ensinar uns aos outros. Deve-se inicialmente produzir uma lista de critérios a serem usados pelos alunos para poder fornecer uma resposta aos colegas. As listas podem ser efetivas quando, por exemplo, estão sendo ensinados movimentos específicos de determinados esportes escolares. Neste estilo, é comum que os alunos trabalhem em duplas, fazendo uma parceria de processo ensino-aprendizagem. O próximo passo é estabelecer as duplas ao acaso, no decorrer da aula, de maneira que a troca de informações, de opiniões e de resultados seja maior. Os alunos devem evidentemente trocar os papéis, e o professor não deve interferir na relação de execução e observação, execução e avaliação. Ele deve permanecer neutro, atuando como facilitador do processo, ou seja, administrando, não decidindo. Destaca-se então uma maior diferença em relação aos estilos anteriores.
Estilo de Programação Individualizada	Um número maior de decisões é transferido para o aprendiz, com o intuito de aumentar a sua responsabilidade no processo. O estilo apresenta uma considerável liberdade para professores e alunos. A lista de critérios do estilo Avaliação Recíproca pode ser usada. Além da observação e execução, haverá a avaliação do próprio desempenho. O professor deverá agir em certos momentos, como em situações que necessitem de maior atenção ou cuidado com certos exercícios. Vantagens: o aluno pode estabelecer o próprio ritmo; mostra respeito pelas diferenças individuais; dá ao professor a oportunidade de conhecer aspectos psicomotores, afetivos e cognitivos dos seus alunos. O profissional deve tomar cuidado para não perder o controle do grupo.
Estilo Inclusivo	A premissa é que cada indivíduo tem o direito de participar e ser bem-sucedido nas atividades desenvolvidas em aulas. O professor estabelece vários níveis de desempenho para cada atividade física. Posteriormente, os alunos escolhem os próprios níveis de rendimento, tendo como base as preferências e habilidades físicas que possuem. Mais uma vez o professor é o condutor que vai incentivar e procurar manter o empenho de participação dos alunos. Caso o participante apresente dificuldade, cabe ao professor orientá-lo a permanecer no mesmo nível de dificuldade de execução da tarefa. Os alunos devem escolher os seus próprios níveis de atividade. As tarefas a serem executadas podem ser apresentadas em uma folha, na lousa ou até mesmo verbalmente.
Estilo Descoberta Orientada (Descoberta Guiada)	Devemos estabelecer uma resposta predeterminada para um problema. O professor deve preparar uma sequência de questões visando ajudar o aluno a fazer uma descoberta. Durante este momento do processo o professor oferece algumas respostas, de forma periódica, ou seja, ocorre um retorno gradativo ao aprendiz para que ele possa reconhecer o grau de suas descobertas da tarefa. O propósito da lista de questões é levar o aluno a descobrir o nível de aprendizado da tarefa e de sua conclusão.

Estilo Solução de Problemas	As respostas são ilimitadas. O professor seleciona o conteúdo, expõe um pequeno problema para ser resolvido pelo grupo, e este, por sua vez, pode fornecer diversas respostas que serão consideradas corretas. O profissional deve ser cuidadoso ao estabelecer os procedimentos da turma e supervisionar a atividade, mantendo a boa organização e segurança. Porém, o condutor não deve interferir no processo que transcorre na aula, pois poderá prejudicar o processo de aprendizagem. Bastante útil também é permitir que os alunos desenvolvam as suas próprias metas e planejem atividades para cumpri-las.

Nos dois últimos estilos, o processo de aprendizado em si é mais importante do que o produto final ou os níveis de realização.[16] Vemos, a partir do quadro, que aplicar estilos de ensino diversificados e adotar uma filosofia humanista pode resultar em maiores êxitos, colocando as necessidades individuais e habilidades de cada indivíduo em primeiro lugar.

2.1.1 – Estilo Comandos

É um estilo de ensino ligado ao modelo tradicional de educação e inspirado na linha militarista. É considerado unidirecional, sendo totalmente elaborado pelo educador e obedecendo a normas preestabelecidas. A previsibilidade é muito latente na sua aplicação.[9]

Muito provavelmente, dentro da experiência de cada profissional, o comando tenha sido utilizado. É a linha mais orientada de todas pelo comandante.[5] Nesse estilo de ensino, o professor determina os objetivos da aula, seleciona as atividades e fornece as diretrizes precisas sobre o que deve ser executado. A metodologia de trabalho está baseada na utilização de situações didáticas rígidas e que dão margem a apenas uma resposta do comandado. A ordem antecede cada tarefa, que deve ser executada de acordo com um modelo preestabelecido. A relação entre educador e aprendiz apresenta um nível altamente elevado de formalismo, não ocorrendo o diálogo.[9]

Exemplificação: o professor explica e demonstra alguns passes do basquetebol, como o passe de peito e o passe picado, esperando que os alunos executem somente na forma que foi demonstrada e não que haja nenhuma variação no exercício. A tarefa é específica para os alunos realizarem. A avaliação será feita pelos critérios do educador.

2.1.2 – Estilo Tarefas

Também chamado de Estilo de Práticas, o professor está no centro do processo e escolhe os objetivos, bem como as estratégias e as formas de organização da atividade. É um dos estilos mais empregados pelos professores de Educação Física.[5]

Algumas decisões passam a ser dos alunos, como a escolha das tarefas realizadas. Além disso, o início e término e os padrões de desempenho da tarefa, ou seja, o ritmo do aprendiz, são mais respeitados. A avaliação é realizada de acordo com os critérios adotados pelos próprios alunos, mas sempre com a administração do professor. A sistemática é caracterizada por conteúdos apresentados aos alunos na forma de tarefas escalonadas por estações. Há certo e considerável grau de formalismo na relação entre o professor e o aluno.[9]

Exemplificação: o professor explica e demonstra o movimento do saque por baixo do voleibol, sendo que os alunos podem executar esta tarefa com variações, como o contato da mão com a bola, posicionamento do tronco, além do ritmo e intensidade do exercício, o número de repetições e as formas específicas de execução deste fundamento técnico. O condutor instrui os alunos sobre os elementos mais importantes.

2.1.3 – Estilo Avaliação Recíproca

Nesta linha de raciocínio, o condutor tem ainda uma função predominante no processo de ensino-aprendizagem. Ele vai escolher e selecionar os objetivos, organizar as estratégias e propor a forma de estruturar a aula em si. Porém, o professor delega aos alunos a avaliação da aprendizagem, embora estabeleça critérios para a sua realização. É o primeiro passo significativo para diminuir a ênfase das aulas dirigidas primariamente pelo professor.[5]

A metodologia de trabalho apresenta um sistema de fornecer informações aos alunos sobre os critérios para avaliar o desempenho de seus respectivos colegas. A avaliação desse processo de aprendizagem é realizada em duplas, utilizando os critérios descritos pelo professor. A relação entre professor e aluno é ainda recheada de certo grau de formalismo.[9]

O companheirismo e a ação comunicativa são mais desenvolvidos. Os alunos começam a assumir a responsabilidade pela sua aprendizagem.[5]

Exemplificação: o professor explica e demonstra o movimento do arremesso com três passos do jogo de handebol. Os alunos podem executar com algumas variações de ritmo, de intensidade, do número de repetições e das formas específicas de execução (variações diversas). Na avaliação em si, após adotar alguns critérios quantitativos para chegar a alguma nota, o processo se concretiza pela avaliação recíproca em duplas, sendo que os alunos utilizam as normas já preestabelecidas pelo professor, e ele não deixa de ser o centro do processo. Apesar de haver na figura do professor um papel decisivo, os alunos aparecem com maior destaque, se comparado a outros estilos.

2.1.4 – Estilo Programação Individualizada

Este sistema baseia-se no princípio da individualidade, respeitando esta condição da pessoa. O professor está no centro do processo, com liberdade para dar mais atenção aos trabalhos individuais e acompanhar a aprendizagem dos alunos. Estes trabalham dentro de um ritmo próprio, desenvolvendo fatores como o senso de responsabilidade e a iniciativa própria, além de aprenderem a avaliar a si mesmos.

A metodologia baseia-se na existência de diferenças individuais, e ao adotar este estilo os alunos que necessitam de cuidados especiais são mais bem atendidos. A avaliação de aprendizagem é realizada pelo professor de acordo com o desempenho individual. É bastante informal a relação entre o professor e o aluno.[9]

Exemplificação: o professor demonstra algumas formas de executar a condução de bola do jogo de futsal (contato com a sola dos pés, borda interna ou borda externa). Cada movimento apresenta um nível diversificado de dificuldade. De acordo com o desenvolvimento motor de cada aluno, são separados grupos homogêneos e a partir daí cada aluno executará a forma de conduzir de acordo com o seu grau de habilidade ou motricidade.

2.1.5 – Estilo Descoberta Orientada

Neste estilo, o professor deixa de ser o centro do processo, em contraponto aos estilos precedentes, assumindo o papel de elemento que incentiva e orienta as atividades dos alunos, auxiliando-os no seu desenvolvimento, bem como esclarecendo dúvidas. Presume-se que, quando os participantes chegam a uma resposta pelas próprias deduções, a lição é bem mais memorizada e tem mais efeito do que quando o professor informa a solução.[5]

A metodologia utilizada considera que as questões produzem a necessidade da busca de alternativas de solução. Dessa forma, o professor realiza perguntas de forma gradual, que levam a uma série de respostas e, por fim, a uma descoberta. Neste ensino, as avaliações, recomendações e correções de aprendizagem são realizadas por provocações de perguntas. A relação entre professor e aluno tem alto nível de informalidade, fato que favorece a troca de informações. A simultaneidade entre educador e educando é muito presente.[9]

Exemplificação: o professor orienta o grupo a formar trios para a realização da cambalhota (rolamento) para a frente, porém, não especifica forma de execução ou detalha algum gesto técnico (somente a colocação do queixo no osso esterno, como precaução básica). No decorrer do exercício o professor interromperá (interferindo) em alguns momentos e questionará sobre o posicionamento corporal, sempre no sentido de estimular a prática da tarefa, bem como melhorá-la, mas sem deixar que ocorra a descoberta da melhor forma de execução por parte do aluno. O condutor apresentará desafios aos seguidores.

2.1.6 – Estilo Solução de Problemas

Neste estilo, o aluno é colocado definitivamente no centro do processo educativo, passando a ser o elemento ativo, formulando problemas e buscando respostas para as questões formuladas durante a aula. A estratégia parte do princípio de que aprender é resolver os problemas. A metodologia parte de uma situação apresentada pelo professor e/ou aluno, de forma a estimular a curiosidade dos educandos. Com base nesse quadro exposto, são definidos os objetivos para serem postos em prática. Na sequência, é elaborada uma situação-problema, que implicará precisamente a busca expressa nos objetivos. As avaliações são feitas por meio de autoavaliações. A relação entre mestre e aprendiz está em nível informal, em clima de total descontração.⁹

Exemplificação: o professor lança uma questão para o grupo e, na sequência, os alunos conduzem a forma de responder. O movimento em foco é o drible (ação de quicar a bola) do jogo de basquetebol. Os alunos terão que escolher a formação (individual, duplas, trios, colunas, fileiras, execução por repetições ou tempo), tipos de drible (alternando mãos, maior ou menor velocidade, com giro, com mudança de direção), execução em progressão ou parado, combinação do drible com algum outro fundamento do esporte (passe, arremesso) e quantificação total do exercício (volume). Após a sessão de exercícios, o professor propõe discussões sobre como é possível melhorar e/ou modificar a aula, como modificar também as formas de execução e número de séries e repetições, além de uma autoavaliação de cada aluno sobre o seu aproveitamento. O condutor também apresentará uma série de desafios aos seguidores.

Na variabilidade dos estilos de ensino, ocorre uma postura tanto centralizada quanto descentralizada do professor, possibilitando ao aluno maior autonomia na construção do processo de ensino e aprendizagem.

Na metodologia dessas diversas linhas de ensino, desde que haja a mescla, os professores investem no conhecimento dos alunos e interferem apenas para aperfeiçoar sua aprendizagem. A relação entre professor e aluno pode ocorrer em nível informal ou formal, com as relações interpessoais bem flexíveis.

A Educação Física contempla atualmente múltiplos conhecimentos produzidos e usufruídos pela sociedade sobre o corpo e a motricidade, cabendo então ao professor acompanhar essa variabilidade na aplicação do seu trabalho na escola – e nada melhor do que a utilização dos diversos métodos de ensino para isso. A diversidade realmente pode ser interessante e cativante (Figura 2.1) para o processo em si, para o professor e para o aluno, assim como para atingir tópicos visados incessantemente pelas instituições de ensino. Caberá ao professor dosar essas variáveis. O principal beneficiado é o aluno, que pode vivenciar diferentes dinâmicas de trabalho e assimilar melhor os conteúdos apresentados.

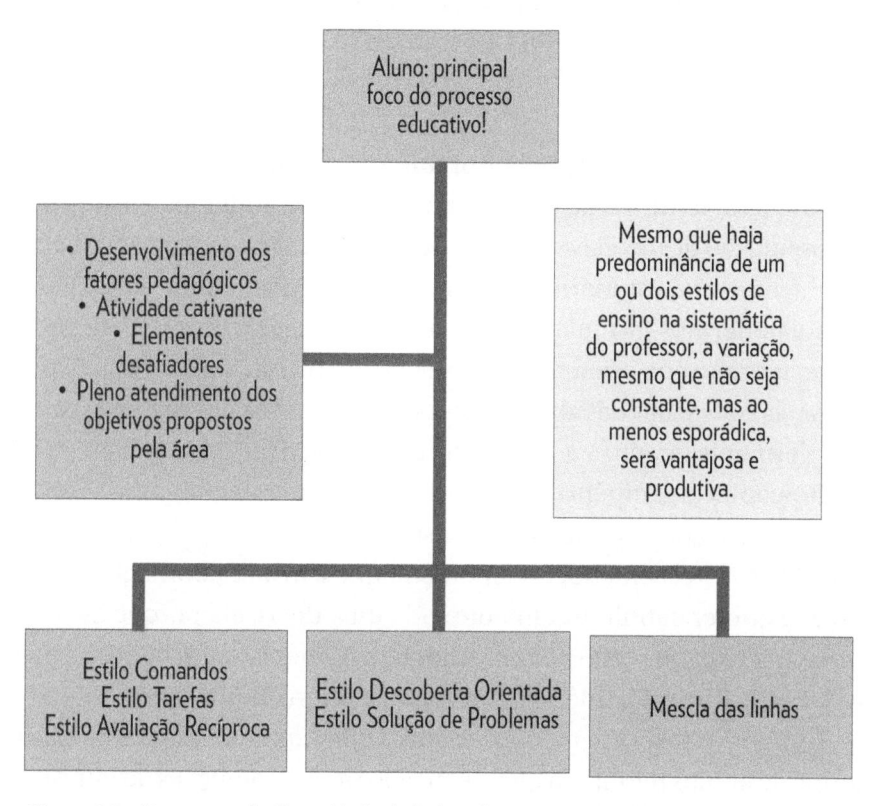

```
                    ┌─────────────────┐
                    │ Aluno: principal │
                    │ foco do processo │
                    │    educativo!    │
                    └─────────────────┘
```

- Desenvolvimento dos fatores pedagógicos
- Atividade cativante
- Elementos desafiadores
- Pleno atendimento dos objetivos propostos pela área

Mesmo que haja predominância de um ou dois estilos de ensino na sistemática do professor, a variação, mesmo que não seja constante, mas ao menos esporádica, será vantajosa e produtiva.

Estilo Comandos
Estilo Tarefas
Estilo Avaliação Recíproca

Estilo Descoberta Orientada
Estilo Solução de Problemas

Mescla das linhas

Figura 2.1 – Vantagens da diversidade de linhas de ensino nas aulas de Educação Física.

2.2 – Principais abordagens pedagógicas utilizadas

A literatura diversifica as classificações das abordagens pedagógicas, portanto podemos encontrar muitas vezes associações dessas perspectivas pedagógicas por uma linha de estudo e, em outros autores, elas são vistas de forma separada. A diferenciação de divisões e subdivisões das abordagens causa discussões permanentes dentro da área, mas acredito que podemos usufruir delas de forma satisfatória nas aulas, fazendo um trabalho efetivo e de grande qualidade.

Desde que o professor não perca o foco no seu aluno e no seu trabalho, poderá aplicar diversas linhas de ensino ao longo dos anos escolares. A reestruturação de conteúdos, a observação constante do rendimento dos estudantes e a reavaliação de procedimentos já envolvem por si uma ação contínua, dinâmica e produtiva no processo de ensino-aprendizagem.

2.2.1 – Classificações das abordagens pedagógicas

Ao longo da leitura e da pesquisa permanente podemos encontrar a apresentação de diversos modelos de abordagens pedagógicas (Quadro 2.2), sendo vital estudarmos essas variações para melhor entendê-las e para podermos formular os conteúdos com maior propriedade, bem como termos uma orientação mais eficiente na escolha dos objetivos.

As classificações das abordagens pedagógicas variam, algumas vezes, simplesmente quanto à nomenclatura ou à descrição das características. Pode acontecer também de uma linha de pesquisa incluir uma abordagem que não aparece em outra. Considero como principal objetivo para nós, professores, entender o fenômeno que cerca as abordagens, mais do que querer definir exatamente cada uma delas, até porque às vezes um estudo apresentado por um autor tem nomenclatura diferente, mas as características são idênticas de alguma outra abordagem.

É importante ter em mente que ações que exploram a capacidade do grupo de alunos permitem que o educador tenha condições de ministrar boas aulas; do contrário, mesmo conhecendo a teoria, esse profissional pode correr o risco de perder o controle do grupo e não chegar às metas esperadas por ele e pela instituição de ensino.

Quadro 2.2 – Abordagens pedagógicas

Desenvolvimentista	Defende que na fase motora fundamental as crianças devem ser ativamente envolvidas na exploração e na experimentação de suas capacidades motoras. Habilidades básicas de locomoção (correr, andar, saltar), manipulação (arremessar, receber, quicar) e estabilização (equilíbrio num só pé) devem ser desenvolvidas nos primeiros anos de infância. A abordagem desenvolvimentista defende o movimento como principal meio e fim da Educação Física. A aula deve privilegiar a aprendizagem do movimento, podendo também ocorrer aprendizagens de ordem cognitiva e afetiva, por decorrência da prática das habilidades motoras diversas. Possui também como foco experiências de movimentos adequados ao nível de crescimento e desenvolvimento físico que os adolescentes vão adquirindo. Visa propiciar condições à criança para que o seu comportamento motor seja aperfeiçoado por meio da interação entre diversificação e complexidade dos gestos motores, permitindo adaptação aos desafios motrizes propostos, partindo do ponto que toda pessoa é basicamente iniciante nas tarefas, em termos de vivência e aprendizagem motora. A aquisição de uma habilidade motora é um conceito muito importante dentro dessa abordagem pedagógica e deverá ser muito bem trabalhada na escola, pois é por meio dela que os alunos se adaptam aos problemas do dia a dia, resolvendo as questões motoras.[6]
Construtivista	Na abordagem construtivista, o jogo assume um papel de conteúdo e estratégia, sendo o principal meio de ensino, pois se a criança joga, ela aprende. O jogo é tido como um instrumento pedagógico que deve ser usado dentro de um ambiente lúdico e prazeroso para o praticante.[6] Macedo (1994) conclui que o construtivismo é a produção do conhecimento dentro de um ambiente no qual o diálogo e a confrontação de ideias e pontos de vista são frequentes. Podemos concluir que uma das grandes vantagens é a valorização das experiências e da própria cultura dos alunos. Para Freire (1989), a atividade lúdica, como o jogo, é uma estratégia valorizada, pois enquanto o aluno brinca ou joga, também aprende.[8]
Crítico-superadora	A finalidade é a transformação social, sendo o tema principal a cultura corporal e a visão histórica. Os conteúdos envolvem conhecimento sobre jogo, esporte, dança e ginástica. As estratégias e metodologias envolvem a tematização. Aborda também as temáticas do poder, interesse, esforço e contestação, crendo que qualquer consideração sobre a pedagogia mais adequada deve estar voltada a como adquirimos conhecimentos para ensinar, ou seja, valoriza a contextualização de fatos e resgate histórico. O objetivo é a compreensão do aluno de que a produção da humanidade expressa determinada fase e que houve alterações ao longo dos anos.[6]
Saúde renovada	A abordagem é voltada para uma proposta de valorizar a prática do exercício físico, cabendo à Educação Física contribuir para uma conscientização da real importância de se adotar um estilo de vida permanentemente ativo e direcionado à saúde. Acredita que essa disciplina é a área que possui a maior condição de desenvolver a pessoa por meio da prática da atividade física.[14]

→

Humanista	Caracteriza-se por valorizar o aluno, e não a atividade, sobrepondo a atividade física, e não seus resultados ou a própria aptidão física em si. Valoriza também a escolha e a responsabilidade do aluno. Ao adotar esta maneira de pensar, os professores ajudam a desenvolver nos jovens uma atitude positiva em relação ao papel do exercício físico em suas vidas. A ideia é centrar os objetivos nos alunos. O contexto deve estar focado sempre na realidade do aluno, ou seja, fazer e oferecer o que lhe é significativo. Também se deseja proporcionar oportunidades para momentos de escolha e criatividade.[16]

Percebo que alguns pontos são bastante diferentes nas correntes pedagógicas que temos na literatura. Por exemplo, o enfoque: colocar em primeiro plano o conteúdo a ser aplicado ou, contrário a isso, o aprendiz. A observação do estágio em que se encontra a criança é outro diferencial entre algumas correntes, pois enquanto uma elabora a sua sequência e tenta fazer o aprendiz se adaptar a ela, a outra realiza o inverso e respeita o momento da criança em termos de possibilidade de receber e assimilar o trabalho a ser feito.

Estudos recentes procuram associar as aulas de Educação Física com o aprimoramento da condição de saúde, sempre utilizando como ferramenta a atividade prática, que deve estar voltada para a aptidão física dos alunos. Fundamental é a ação do professor na escola, oferecendo projetos para promover benefícios à saúde, considerando aspectos sociais, econômicos, ambientais e subsídios teóricos que conscientizam os alunos. Na perspectiva dessa abordagem (saúde renovada), então, deve-se privilegiar a vivência de habilidades motoras e o consequente desenvolvimento das capacidades físicas básicas, para chegar a uma aptidão física ideal direcionada à saúde.[14]

Enfatizo que a área tem condição de realizar o trabalho com as diversas abordagens pedagógicas na escola, mesmo que nem sempre tenhamos a estrutura de materiais e equipamentos necessários, mas que não esqueçamos que temos em mãos, acima de tudo, o material humano para ser estimulado e trabalhado. Completo esse raciocínio dizendo que nossa capacidade e conhecimento, além da experiência vivida nos ambientes escolares, serão determinantes para aplicar corretamente as metodologias de trabalho.

As descrições sobre as abordagens são estudos que se estendem ao longo dos anos, já que novas informações e conclusões de pesquisadores ainda surgem, enquanto teorias já publicadas há décadas são, também, extremamente importantes. Todas as pesquisas apresentadas neste livro são consistentes e podem ser aproveitadas no trabalho na escola.

2.2.1.1 – Desenvolvimentismo

A abordagem desenvolvimentista defende a ideia de que o movimento é o principal meio e fim da Educação Física, ou seja, ele caracteriza a especificidade do seu alvo. Sua função não é desenvolver capacidades que auxiliem a alfabetização e o pensamento lógico-matemático, embora tal possa ocorrer como um subproduto da prática motora. Em suma, uma aula de Educação Física deve priorizar a aprendizagem do movimento, enquanto ocorrem outras aprendizagens, de ordem afetivo-social e cognitiva, em decorrência da prática das habilidades motoras.

As habilidades básicas podem ser classificadas em locomotoras (andar, correr, saltar, saltitar), manipulativas (arremessar, chutar, rebater, receber) e estabilizadoras (girar, equilibrar-se num só pé, executar posições invertidas). Os movimentos específicos são mais influenciados pela cultura e estão relacionados à prática dos esportes, do jogo, da dança, entre outras.

Todas as experiências motrizes para o desenvolvimento das capacidades físicas e habilidades motoras devem predominar nos conteúdos. A educação pelo movimento se faz presente e todos os instrumentos devem ser explorados, incluindo o desenvolvimento cognitivo e afetivo-social. Podemos precisar que esse é um grande momento da Educação Física para trabalhar de forma intensa a cultura corporal. A abordagem colabora e muito para chegar a essas metas.

Assim, essa abordagem segue o modelo da aprendizagem motora, entendendo que os seres humanos se adaptam aos problemas diários resolvendo os problemas de ordem motora. Preconiza que, nas aulas, os alunos tenham condições de aumentar a diversidade e complexidade de seu comportamento motor, oferecendo a eles experiências adequadas ao seu estágio de crescimento e desenvolvimento, para que as habilidades motoras sejam devidamente alcançadas. Nessa perspectiva, a concepção passou a ser extremamente vinculada ao desenvolvimento motor, escalonado por autores como Gallahue (1982), que privilegia o oferecimento de experiências de movimentos adequados ao nível de maturação do aluno.[1]

A criança claramente tem a necessidade de vivenciar um amplo repertório de habilidades básicas, para que ela não venha a ter problemas na aquisição de habilidades específicas mais complexas no futuro ou na execução das próprias habilidades simples. A busca da área de conhecimento é voltada para a somatória de aquisição de vivências e experiências múltiplas no aspecto motor.

Os aspectos envolvidos no programa da Educação Física desenvolvimentista (Figura 2.2) estão focados no aprendizado pelo movimento, no qual estão destacados o "aprender a mover-se" e "aprender através do movimento". Nessa linha, o movimento é o principal veículo de exploração de tudo que está ao redor da criança, aperfeiçoando a capacidade de aprendizagem motora e cognitiva, além de promover a melhora da socialização e do autoconceito positivo.[3]

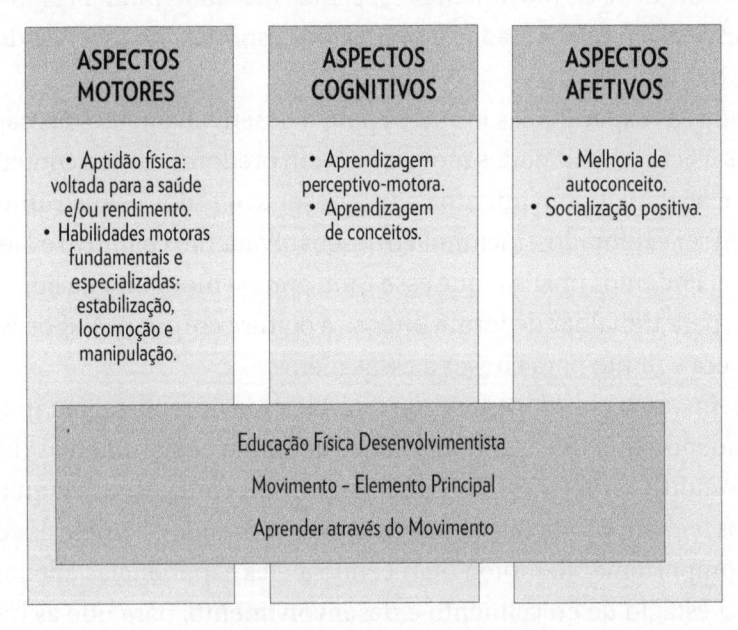

ASPECTOS MOTORES	ASPECTOS COGNITIVOS	ASPECTOS AFETIVOS
• Aptidão física: voltada para a saúde e/ou rendimento. • Habilidades motoras fundamentais e especializadas: estabilização, locomoção e manipulação.	• Aprendizagem perceptivo-motora. • Aprendizagem de conceitos.	• Melhoria de autoconceito. • Socialização positiva.
Educação Física Desenvolvimentista Movimento – Elemento Principal Aprender através do Movimento		

Figura 2.2 – Aspectos do desenvolvimento da criança de acordo com a Educação Física desenvolvimentista.[3]

Considero essa abordagem muito útil, prática e benéfica aos alunos e a nós próprios. Quando aplicamos trabalhos voltados para esse tipo de estudo (exemplos na Figura 2.3), podemos encontrar dificuldades, como em qualquer forma de atuar, porém acredito que tenhamos mais resultados positivos do que negativos. Convencer, estimular e oferecer a condição de repetição dos movimentos, bem como a exploração da cultura corporal por meio das atividades, fazendo uma Educação Física com conteúdos práticos e dinâmicos, levam ao bom rendimento e aprendizado dos alunos. Achar que o desenvolvimentismo é a única opção de metodologia ou que necessariamente seja a melhor de todas não é importante, mas sim saber utilizar uma linha que dá bastante atenção à prática motora e por meio dela atinge objetivos no processo educativo. Além do mais, essa abordagem é, no meu entendimento, muito direcionada aos preceitos dessa disciplina. Qualquer ação que ofereça subsídios satisfatórios é sempre bem-vinda, então sou totalmente contrário a rejeitar opções que possam contribuir de maneira substancial.

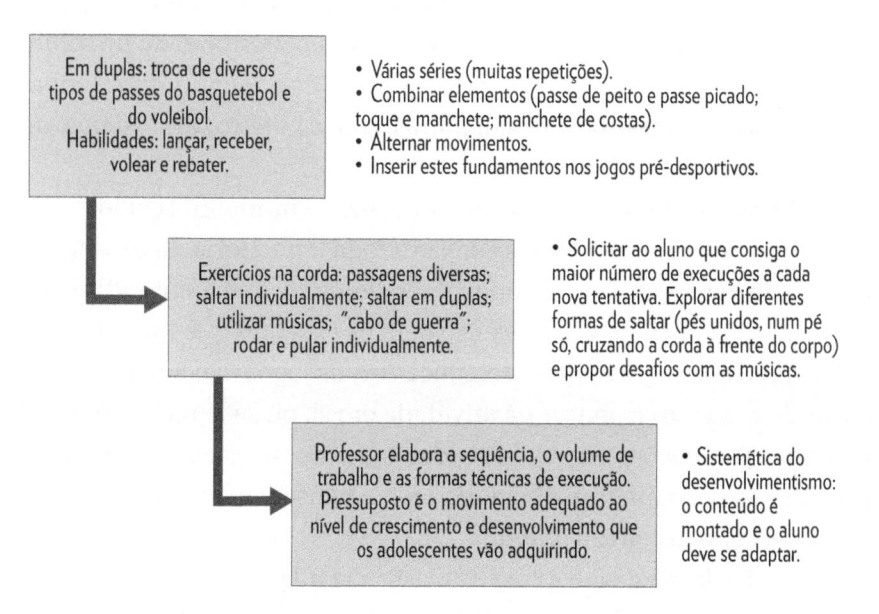

Em duplas: troca de diversos tipos de passes do basquetebol e do voleibol. Habilidades: lançar, receber, volear e rebater.	• Várias séries (muitas repetições). • Combinar elementos (passe de peito e passe picado; toque e manchete; manchete de costas). • Alternar movimentos. • Inserir estes fundamentos nos jogos pré-desportivos.
Exercícios na corda: passagens diversas; saltar individualmente; saltar em duplas; utilizar músicas; "cabo de guerra"; rodar e pular individualmente.	• Solicitar ao aluno que consiga o maior número de execuções a cada nova tentativa. Explorar diferentes formas de saltar (pés unidos, num pé só, cruzando a corda à frente do corpo) e propor desafios com as músicas.
Professor elabora a sequência, o volume de trabalho e as formas técnicas de execução. Pressuposto é o movimento adequado ao nível de crescimento e desenvolvimento que os adolescentes vão adquirindo.	• Sistemática do desenvolvimentismo: o conteúdo é montado e o aluno deve se adaptar.

Figura 2.3 – Exemplos de atividades para turmas do 6º ano do Ensino Fundamental baseadas na teoria desenvolvimentista.

2.2.1.2 – Construtivismo

Na perspectiva construtivista, a intenção é a construção do conhecimento a partir da interação do sujeito com o mundo, e para cada criança a construção desse conhecimento exige elaboração, ou seja, uma ação sobre o mundo.

Nessa concepção, a aquisição do conhecimento é um processo construído pelo indivíduo durante toda a sua vida, não estando pronto ao nascer nem sendo adquirido passivamente de acordo com as pressões do meio. Conhecer é sempre uma ação que implica esquemas de assimilação e acomodação num processo de constante reorganização.

O suíço Jean Piaget (1896-1980) e o norte-americano Jerome Bruner (1915-2016) foram os principais estudiosos que embasaram o Construtivismo. Para Piaget, a inteligência humana se desenvolve a partir das ações simultâneas entre o indivíduo e o meio. A corrente prega que o homem não é passivo sob a influência do meio, mas responde a estímulos externos, agindo sobre eles para construir e organizar o seu próprio conhecimento de forma cada vez mais elaborada.[8]

Com base nas ideias do Construtivismo, o professor deve respeitar o universo cultural dos alunos, explorar o leque múltiplo de possibilidades educativas da atividade lúdica e gradativamente propor tarefas cada vez mais complexas e desafiadoras, com o objetivo de desenvolver o conhecimento.[6]

Os "estágios do desenvolvimento cognitivo humano" (Quadro 2.3) propostos por Piaget (1967) descrevem toda a trajetória da pessoa em termos de evolução da sua capacidade de raciocínio e entendimento do mundo, bem como a sua relação com os aspectos que lhe cercam.

Na Educação Física, quando aplicamos os jogos, devemos analisar o estudo proposto e pensar na atividade em si, ou seja, incluir regras e possíveis adaptações respeitando ideologias como estas. Dessa forma, poderemos fazer um trabalho adequado e pensado na faixa etária e no seu respectivo desenvolvimento.

A adoção da perspectiva construtivista atrelada à pedagogia do esporte se apresenta ao maior grau quando mostra a sua capacidade de refletir sobre o processo de ensino e aprendizagem, bem como a condição de dialogar com o aluno real, atendendo e respeitando suas diferenças.[12]

Quadro 2.3 – Estágios do desenvolvimento cognitivo humano, propostos por Piaget (1967)[2,4,8,10]

PERÍODO	CARACTERÍSTICAS
1º período sensório-motor (0 a 2 anos)	Padrões inerentes de comportamento. As alterações e o desenvolvimento do comportamento ocorrem como resultado da interação dos padrões com o meio ambiente. O conhecimento é privado e não influenciado pela experiência de outras pessoas.
2º período pré-operatório (2 a 7 anos)	Subdividido em dois períodos: Simbólico (2 a 4 anos): surgimento de desenho, imitação, dramatização etc. A linguagem está em nível de monólogo coletivo, e a socialização é vivida de forma isolada, mas dentro do contexto coletivo. Intuitivo (4 a 7 anos): "idade dos porquês", pois a criança quer saber e entender os fenômenos que ocorrem a sua volta. Ela diferencia a fantasia do real, seu pensamento continua centrado na sua própria opinião e não mantém uma conversação prolongada, mas já é capaz de ajustar suas respostas às palavras do colega.
3º período operações concretas (7 a 11-12 anos)	A criança apresenta números, conversações, substância, volume e peso de forma concreta. A noção de espaço, tempo, velocidade e ordem é muito mais desenvolvida. É capaz de organizar o mundo de forma lógica e operatória, além de estabelecer relações, como compromissos, compreender e seguir normas. A criança raciocina logicamente.
4º período operações formais ou hipotético-dedutivas (11-12 em diante)	A cognição da pessoa chega ao maior grau de desenvolvimento, estando apta a aplicar o raciocínio lógico a todas as classes de problemas. É a fase do indivíduo em que o ensino deve estar baseado no "ensaio e erro", bem como na pesquisa, na investigação e na solução de problemas. O processo é o foco principal, e não os produtos de aprendizagem. As formas como a pessoa se relaciona com os estímulos externos, assim como organiza dados, sente e resolve problemas, além de como se apropria de conceitos, são predominantemente consideradas (Mizukami, 1986).

Temos uma função na administração de atividades nas aulas que é a de unir conceitos e eventos práticos. A utilização do conteúdo proposto pelo educador relaciona o que a pesquisa traz em termos de benefícios e adaptações aos alunos com a vivência destes e as possibilidades de executar as tarefas.

O aluno deve ser ativo no processo, ter funções (Figura 2.4) e participar efetivamente da aula, seja qual for a abordagem pedagógica que o professor use. Na ginástica, nas danças, nas lutas, nos jogos, enfim, em qualquer atividade, a participação e o envolvimento dos alunos serão realmente válidos se houver a consolidação desses fatores.

Observar → Experimentar ▶ Comparar → "ALUNO ATIVO"

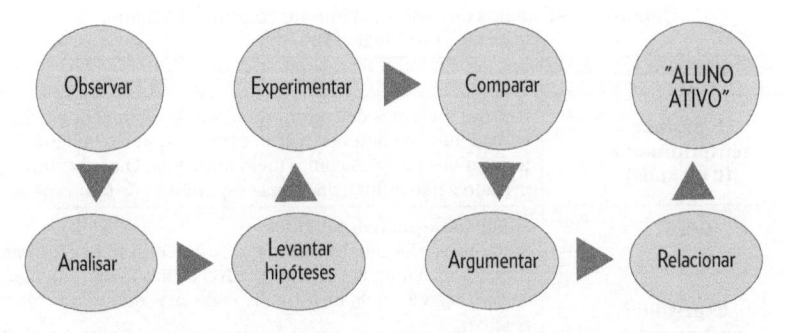

Analisar ▶ Levantar hipóteses → Argumentar ▶ Relacionar

Figura 2.4 – O papel do aluno no Construtivismo (Mizukami, 1986).[8]

A concepção construtivista oferece alternativas para a aprendizagem, por exemplo:
- fazer de outra forma;
- encontrar uma solução diferenciada para uma tarefa que tenha maior grau de dificuldade;
- combinar conceitos conhecidos;
- ter ousadia (ir além de certos limites);
- entender que a "ação" não é exclusiva do movimento;
- utilizar a experimentação para mobilizar conhecimentos.

Diante dessa perspectiva, a aprendizagem é sempre ativa, levando o indivíduo a aprender novos fatores e mobilizando os saberes que ele já possui sobre o que pode ser explorado e compreendido.[7]

Algumas atitudes (Figura 2.5) que o professor necessita ter quando aplica jogos, principalmente seguindo a linha construtivista, devem estar direcionadas para o seu envolvimento com as ações dos alunos, com o dinamismo que a atividade sugere, com a abertura para novas regras e normas, bem como para o diálogo permanente com o grupo em relação aos aspectos que norteiam o jogo.

- Em conjunto com o grupo, promover alterações nas regras.
- Parar o jogo e conversar com os alunos, sempre que necessário.

"Estar atento"

- Sugerir novos desafios.
- Sugerir troca de funções.

"Ser dinâmico!"

- Educar atitudes dos alunos.
- Avaliar a aula e o programa de jogos.

"Participar!"

Figura 2.5 – Exemplos de atitudes dentro de uma perspectiva construtivista no momento de aplicação de um determinado jogo na escola.[13]

Acredito que a abordagem construtivista possa causar certo receio em muitos profissionais. Uma situação que gera mudanças pode provocar incertezas, porque o professor muitas vezes já defronta com problemas do cotidiano e uma situação diferenciada, com uma proposta de trabalho modificada, pode levar a esse quadro. Quando aplicamos trabalhos voltados para esse tipo de estudo (exemplos na Figura 2.6), podemos perceber que o aluno passa a ser um "agente mais pensante e participativo", que terá o seu desenvolvimento acontecendo nas três dimensões propostas por essa área de conhecimento. Fazer o aluno tomar decisões e dialogar, dentro das ações motoras, tornam a aula prazerosa, produtiva e muito interessante para os dois lados do processo educativo.

Promover aulas de Educação Física com conteúdos dinâmicos utilizando abordagens pedagógicas nas quais os jovens são ativos na parte motora é muito satisfatório, melhor ainda se forem também conteúdos ativos no aspecto cognitivo e afetivo-social. O construtivismo, de acordo com as suas bases, pode levar a isso. Como já salientado anteriormente, qualquer ação que ofereça fatores satisfatórios é sempre bem-vinda nessa disciplina. Na verdade, o que é contundente e improdutivo é negar uma nova possibilidade de conhecimento na carreira.

| Jogo de construção: as regras iniciais são apresentadas. Material e espaço físico são também determinados pelo professor. | • Propor regras que facilitem a participação de todos. Os alunos devem criar normas.
• Desafiar o grupo em resolver problemas que surgiram na ação do jogo. A "construção" deve ocorrer.
• Permitir que os alunos tomem decisões sobre as regras em certos momentos.
• Observar se há evolução motora, por exemplo, e a partir daí incluir elementos mais complexos. |

| Jogo pré-desportivo: união de fundamentos técnicos e táticos de dois esportes. Algumas regras oficiais e outras adaptadas dos esportes envolvidos. | • O aumento ou a diminuição do grau de dificuldade do jogo será aplicada de acordo com a assimilação e o rendimento do grupo. |

| Professor elabora a atividade, que pode sofrer modificações ao longo do processo. As variáveis ocorrem de acordo com a evolução dos alunos nos três aspectos. O objetivo é desenvolver o conhecimento. | • Sistemática do construtivismo: o conteúdo é elaborado respeitando o universo cultural dos alunos. |

Figura 2.6 – Exemplos de atividades para turmas do 5º ano do Ensino Fundamental baseadas na teoria construtivista.

Referências bibliográficas

1. ARAÚJO, R. A. S. *A educação física na formação inicial:* prática pedagógica e currículo. São Luís, MA: 360º Gráfica e Editora, 2014.
2. BEE, H.; BOYD, D. *A criança em desenvolvimento*. 12. ed. Tradução de Cristina Monteiro. Porto Alegre: Artmed, 2011.
3. GALLAHUE, D. L.; DONNELLY, F. C. *Educação Física desenvolvimentista para todas as crianças*. Tradução de Samantha Prado Stamatiu & Adriana Elisa Inácio. 4. ed. São Paulo: Phorte, 2008.
4. GALLAHUE, D. L.; AZMUN, J. C.; GOODWAY, J. D. *Compreendendo o desenvolvimento motor:* bebês, crianças, adolescentes e adultos. Tradução de Denise Regina de Sales. 7. ed. Porto Alegre: AMGH, 2013.
5. GRABER, K. C.; WOODS, A. M. *Educação Física e atividades para o ensino fundamental*. Porto Alegre: AMGH, 2014.
6. LIMA, A. *Educação Física:* mais de 400 questões com gabarito comentado. Rio de Janeiro: Elsevier, 2010.

7. MATTOS, M. G.; NEIRA, M. G. *Educação Física infantil:* construindo o movimento na escola. 7. ed. São Paulo: Phorte, 2008.
8. MERIDA, F. V.; BEGGIATO, C. L. Abordagem construtivista. In: SILVA, S. A. P. S. (Org.). *Portas abertas para a Educação Física:* falando sobre abordagens pedagógicas. São Paulo: Phorte, 2013. (Coleção Educação Física e Esportes).
9. MOURA, D. L. A Educação Física Escolar e os estilos de ensino: uma análise de duas escolas do Rio de Janeiro. *Efdeportes.com* – Revista Digital. Buenos Aires, Argentina, año 14, n. 137, out. 2009.
10. NEIRA, M. G. *Educação Física*: desenvolvendo competências. 3. ed. São Paulo: Phorte, 2009.
11. PALMA, A. P. T. V.; OLIVEIRA, A. A. B.; PALMA, J. A. V. *Educação Física e a organização curricular:* educação infantil, ensino fundamental, ensino médio. 2. ed. Londrina: Eduel, 2010.
12. ROSSETTO JR., A. J.; COSTA, C. M.; D'ANGELO, F. L. *Práticas pedagógicas reflexivas em esporte educacional:* unidade didática como instrumento de ensino e aprendizagem. São Paulo: Phorte, 2008.
13. ROSSETTO JR., A. J. et al. *Jogos educativos:* estrutura e organização da prática. 4. ed. São Paulo: Phorte, 2008.
14. SILVA, F. A. Abordagem da saúde renovada. In: SILVA, S. A. P. S. (Org.). *Portas abertas para a Educação Física:* falando sobre abordagens pedagógicas. São Paulo: Phorte, 2013. (Coleção Educação Física e Esportes).
15. TAFFAREL, C. N. J. *Criatividade nas aulas de Educação Física*. Rio de Janeiro: Ao Livro Técnico, 1985.
16. VIRGILIO, S. J. *Educando crianças para a aptidão física:* uma abordagem multidisciplinar. 2. ed. Barueri, SP: Manole, 2015.

- CAPÍTULO 3 -
Desenvolvimento motor: relação com a Educação Física

O desenvolvimento motor humano vem sendo estudado ao longo das últimas décadas e sendo determinado pelos pesquisadores como um elemento essencial na área da Educação Física. Logo, estudar a motricidade é indispensável para realizarmos um trabalho coerente e produtivo na escola com os jovens. Os fatores que se associam a isso são as linhas de ensino, as formas diferenciadas de aplicação, o acompanhamento da evolução motora em conjunto com a idade cronológica e também as possíveis formas de avaliação nas aulas de Educação Física.

Atualmente, a motricidade e o seu contexto são vistos como fatores relevantes para a compreensão do desenvolvimento humano, sendo fundamentais para que se possa entender as alterações que ocorrem no organismo dentro do ambiente em que a pessoa está inserida. Ao falar sobre os jogos escolares, tenho consciência que de maneira simultânea alcanço o desenvolvimento dos vários aspectos motrizes do aluno. Ele pode estar jogando, em movimento e executando as habilidades motoras e manipulativas, bem como as locomotoras e estabilizadoras, contemplando assim a tão esperada e desejada finalidade de trabalhar a cultura corporal.

No decorrer do capítulo teremos uma amostra de conceitos e sequências de aprendizado motor, bem como das linhas de pensamento de alguns autores sobre a evolução dos aspectos motores de acordo com a idade e a própria vivência que a pessoa venha a ter na vida. Ao longo dos anos, encontramos linhas de estudos voltadas para o desenvolvimento motor apresentando algumas variações, bem como outros tantos pontos que coincidem em seus conceitos. Isso torna-se um grande embaraço, muitas vezes, para qualquer professor que venha a realizar leituras e tente se aprofundar neste tema, bem como para entender e principalmente aplicar na prática, em aula.

O conceito do desenvolvimento da motricidade e as pesquisas envolvidas servem de grande auxílio no trabalho diário com a Educação Física escolar, mesmo que o desafio seja constante. Junto a isso, considero indispensável a busca pelo conhecimento e percebo a procura pela melhoria do nível do trabalho em qualquer fase da carreira de um profissional uma atitude extremamente útil.

A atividade física é o grande instrumento de expressão do conteúdo da Educação Física, carregando toda e qualquer ação humana que comporte a ideia de trabalho do conceito físico, ou seja, todo movimento humano está inserido no contexto dessa disciplina e, a partir daí, entra o embasamento teórico.[2]

A Educação Física frisa a importância do movimento para o integral desenvolvimento da criança. Há uma grande influência do gesto motor sobre a cognição e a afetividade do aluno. O movimentar-se é uma forma de comunicação, construindo a cultura corporal de movimento, sendo este qualificado quando há sentido e significado e, dessa forma, colocado no plano da cultura.[1]

O desenvolvimento humano tem sido compreendido como o conjunto de todas as mudanças que ocorrem no indivíduo durante a vida. Os estudos voltados para essa teoria englobam as três áreas de domínio: cognitivo, afetivo-social e motor. Todavia, é imprescindível entender que o desenvolvimento motor é um processo contínuo e sequenciado em todos os domínios do ser humano, que estão interligados. Tais alterações são influenciadas pela maturação e experiência (vivência corporal). Os processos subjacentes vão envolver também mudanças de comportamento no movimento.[7,10]

Fonseca (1998), baseado nas ideias de Jean Piaget, indica que o pensamento reflexivo traduz a relação entre o aspecto motor e o cognitivo. O autor enfatiza que o desenvolvimento nervoso é também um desenvolvimento motor. Esse relato mostra que o movimento influencia na elaboração da inteligência antes da própria aquisição da linguagem, ou seja, a vivência e o desenvolvimento da motricidade refletirão diretamente na capacidade de raciocínio, na linguagem e na organização do pensamento.[15]

A aprendizagem motora ocorre por meio de diversas manifestações da cultura e expressão de movimentos, e na aula de Educação Física esse propósito é grandioso, seja na aplicação de ginástica, dança, luta, seja nos esportes e jogos em geral.

O termo "capacidade de aprendizagem motora" está relacionado a todos os mecanismos de apreensão, tratamento e armazenagem das informações que provêm de meios internos e externos, envolvendo os processos perceptivos, cognitivos e relacionados com a memória ou com experiências anteriores.[7] A aprendizagem motora pode ser entendida como uma mudança interna na pessoa, resultante de uma evolução que pode ser relativamente permanente no seu próprio desempenho motriz, como consequência da ação prática.[11]

Um quadro efetivo de aprendizagem motora ocorre quando é observada no comportamento do indivíduo uma modificação real em seu estado interno, ou seja, uma determinada tarefa motora é modificada a partir da observação das curvas de desempenho, sendo estas aferidas em relação ao número de tentativas realizadas (Magill, 1984).[14]

O desenvolvimento da coordenação motora sobre o repertório motor da criança indica que todo movimento novo é executado sobre a base da coordenação já aprendida, ou seja, é semelhante a um jogo de construção, somando conexões antigas com novos elementos, formalizando a estrutura do conjunto (movimentos mais complexos) e completando assim o ato motor (Weineck, 1986).[7]

No desenvolvimento motor, bem como na abordagem desenvolvimentista, acredito na teoria que descreve a transferência de aprendizagem defendida por Magill (2000).[14] No estudo é observada a influência da experiência anterior na aquisição de novas habilidades motoras ou no desempenho de determinada habilidade dentro de um novo contexto, com maior complexidade, por exemplo. O potencial de sequenciamento das habilidades a serem aprendidas é determinado diretamente por essa influência.

A Educação Física inserida no contexto escolar é considerada de grande importância para o desenvolvimento da criança. Por meio de experiências motoras amplas e educativas, temos a oportunidade de descobrir novos movimentos, estimulando assim o desenvolvimento motor.

Sabe-se que cada criança desenvolve e aprimora suas habilidades motrizes em momentos distintos, às vezes independendo da faixa etária, já que cada um tem um tempo para se desenvolver. Apesar de o conceito da sequência desenvolvimentista ser baseado na idade, ou seja, no fato de que o desenvolvimento do indivíduo está relacionado à cronologia, ele não depende totalmente dela.[14] Ainda assim, muitos autores concordam que os primeiros seis anos de vida são cruciais para o desenvolvimento do indivíduo.[18] Nesse sentido, as experiências propostas nesta fase poderão determinar em grande demasia o seu desenvolvimento posterior.

As esquematizações do desenvolvimento motor propostas por vários estudos (detalhamento no tópico 3.1) auxiliam, creio, na elaboração de conteúdos programáticos no decorrer do ano letivo. Servem de base para planejar, avaliar e reprogramar aulas. O acompanhamento do profissional da área será determinante para minimizar erros. O que nos fascina é a grande riqueza que essa disciplina apresenta como proposta de diversificar as aulas, dinamizar o trabalho e oferecer condições de ministrar um trabalho lúdico e estimulante para o aluno, mas sem perder o foco e a objetividade, bem como a seriedade e a crença.

Manoel (2000) descreve que a sequência do desenvolvimento da motricidade depende de alguns aspectos (Figura 3.1).[14] Entende-se que o professor, ao aplicar qualquer conteúdo na aula para melhorar os aspectos motores do aluno, deve sempre olhá-lo de forma individual, pois cada cidadão tem a sua vivência e exploração corporal ao longo da vida, e é evidente que as diferenças ocorrerão. Dessa forma, o profissional não vai subestimar ou superestimar as condições reais de desenvolvimento de cada aluno.

```
┌─────────────────────────────────────────────┐
│ Acompanhamento do professor = Sucesso na evolução do aluno! │
└─────────────────────────────────────────────┘
```

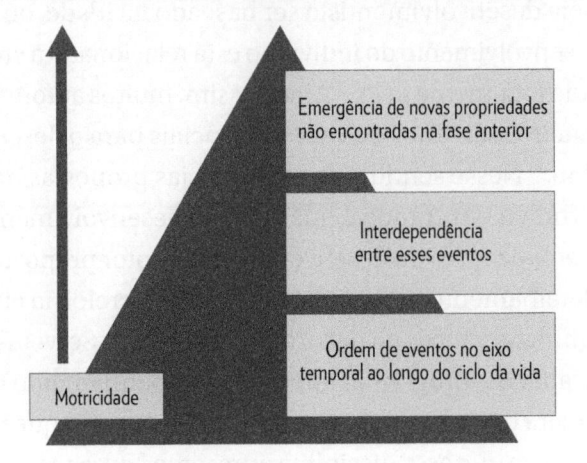

[Diagrama em forma de pirâmide com:
- Emergência de novas propriedades não encontradas na fase anterior
- Interdependência entre esses eventos
- Ordem de eventos no eixo temporal ao longo do ciclo da vida
- Motricidade]

Figura 3.1 – Aspectos que interferem na sequência do desenvolvimento motor (Manoel, 2000).[14]

Os caminhos que levam a alterações no comportamento da motricidade podem variar de indivíduo para indivíduo, mas a sequência na qual ocorrem essas mudanças permanece, reforçando a ideia tradicional de que o desenvolvimento motor segue uma característica ordenada.[14]

3.1 – Estruturações diversas da motricidade

Em geral, encontramos as estruturações do desenvolvimento motor com base na idade e no tipo de movimento (habilidades motoras) que o indivíduo está apto a realizar. As diferenças nas classificações, mesmo que pequenas, ocorrem muitas vezes nas formas de conceituar determinados termos ou na distribuição das faixas etárias dos indivíduos. Seguir uma estruturação específica pode ser uma ação simples e coerente do professor, desde que ele atue na prática de modo eficaz e possa verificar a prosperidade de seu aluno. A dedicação do educador para com o seu grupo de jovens será mais determinante para o triunfo da atividade do que o aprofundamento em somente um estudo teórico. É sempre importante saber o contexto e, mais do que isso, saber utilizá-lo em sala de aula.

No domínio motor, Gallahue e Ozmun (2001) descrevem o modelo de sequência do desenvolvimento desde a fase dos movimentos reflexivos até a fase dos movimentos especializados.[18] Em outro estudo (Quadro 3.1), além das fases já citadas anteriormente, temos o termo "movimentos culturalmente determinados", que se refere aos jovens que estão na puberdade.

Quadro 3.1 – Fases do desenvolvimento motor[5,11,14]

0-12 meses	Movimentos reflexos
1-2 anos	Movimentos rudimentares
2-7 anos	Movimentos fundamentais
7-12 anos	Combinação dos movimentos fundamentais
12 em diante	Movimentos culturalmente determinados (habilidades específicas)

Nas aulas de Educação Física, são muitos os momentos em que, ao aplicar os conteúdos, os alunos executam os movimentos dentro da previsão do quadro do desenvolvimento motor. Posso citar, por exemplo, as turmas do 5º ano do Ensino Fundamental I (alunos com aproximadamente 10 anos de idade) fazendo uma atividade com bolas de borracha, na qual são executados exercícios que combinam as habilidades de manipulação, estabilização e locomoção: lançar, receber, driblar, saltar, correr e arremessar. Esses movimentos podem ser feitos em duplas e/ou individualmente, bem como em progressão, e os arremessos executados para a meta do jogo de handebol podem ser executados com a combinação de correr, bater bola, saltar e arremessar.

O rendimento da criança provavelmente será melhor se ela tiver tido essa vivência em anos anteriores nas aulas de Educação Física, com exercícios que explorem os movimentos básicos (ou fundamentais) em suas mais variadas formas, tanto por meio de habilidades manipulativas quanto em brincadeiras e pequenos jogos. A partir disso, percebemos a enorme importância dessa disciplina na Educação Infantil e primeiros anos do Ensino Fundamental I (dos 2 aos 7 anos).

Já em outra sequência apresentada, em relação ao desenvolvimento motor (Quadro 3.2), encontramos a união dos movimentos reflexivos e rudimentares para uma mesma faixa de idade. Surge então o termo "básico", em vez de "fundamental", como citado em outros estudos, e o movimento "específico" para faixa etária pré-adolescente (a partir dos 7 anos), que em outros estudos é apenas citado em idades maiores.

Quadro 3.2 – O desenvolvimento motor evolui em quatro etapas (Zaichokwsky, Martinek, 1980)[3]

0-2 anos	Reflexos e movimentos rudimentares
2-6 anos	Skills básicas
7-12 anos	Skills específicas
12 em diante	Skills especializadas (adolescência)

A representação clássica dos elementos dos jogos pré-desportivos ocorre nas turmas de 7-8 anos em diante, tanto com a combinação de movimentos fundamentais quanto com a vivência de habilidades específicas e dos movimentos culturalmente determinados.[13] Ao atingir 12 anos de idade, a criança estará praticamente com o seu padrão de desenvolvimento definido, logo, é primordial nas aulas oferecer a vivência ampla de movimento, por meio de dança, ginástica, luta, jogos e desportos.

Acredito que estudos que apresentam as idades específicas relacionadas com o desenvolvimento da motricidade da criança servem de referência para a aplicação de atividades, mas não podem ser usados como padrão rígido de compreensão da evolução motora da pessoa, pois aspectos diversos interferem nesse desenvolvimento, como a vivência motora (estímulos ambientais recebidos) e o consequente acervo adquirido, além da hereditariedade, do biotipo, entre outros.

Para Gallahue e Ozmun (2005), mesmo que a idade cronológica seja a forma mais indicada e utilizada para classificar um indivíduo de acordo com os níveis de desenvolvimento motor, não podemos ser totalmente dependentes dela. As medidas de maturação são variáveis; por isso, a forma de atuação do professor para quando e como ensinar deve se basear, em primeiro lugar, na adequação em relação ao nível do aluno, e não na adequação a um determinado grupo etário.[11]

Portanto, as relações de fatores (Figura 3.2) vão interferir de forma direta no desenvolvimento motor humano ao longo da vida do cidadão. O meio ambiente, a hereditariedade e os fatores de restrição do indivíduo vão interferir no produto final, que é o controle motor e a competência do movimento.[6]

A ciência da motricidade humana é a que compreende e explica as condutas motoras das pessoas.[19] Condições práticas observadas ao longo de anos nos levam a entender que habilidades motoras especializadas são padrões motores fundamentais maduros, isto é, que foram refinados e combinados para chegar ao nível de habilidades específicas e motoras complexas. A evolução ao longo dessa fase está diretamente relacionada ao desenvolvimento de habilidades na fase de movimentos fundamentais maduros.[11]

A motricidade humana é diferenciada e especial, porque o homem se desenvolve como um todo, e ganhos cognitivos e afetivos são acompanhados por ganhos em motricidade.[4] Na descrição, podemos contar com uma opinião favorável de que o pleno trabalho com o aluno na Educação Física se faz na vivência dos três aspectos focados na disciplina (procedimental, atitudinal e conceitual).

A fase de movimentos, dos 6-7 anos em diante, considerada pelas linhas de estudo citadas anteriormente, insere os movimentos fundamentais, combinados e/ou específicos, e é propícia para que o professor de Educação Física utilize na escola os exercícios com materiais diversos (bolas, bastões, cordas, colchonetes) e inúmeras combinações e explorações, assim como usufrua de todo o universo dos jogos e brincadeiras.

Na fase de movimentos fundamentais, por exemplo, os alunos devem estar extremamente envolvidos na exploração e na experimentação permanente de suas capacidades motoras.[11] Exercícios físicos, exploração das habilidades motoras, vivência das habilidades de manipulação e também das habilidades de estabilização, os jogos e as brincadeiras levam a isso.

No Ensino Fundamental II, com os alunos na puberdade, surgem em maior escala nas aulas os exercícios mais complexos, assim como os exercícios específicos dos esportes (fundamentos técnicos). Tais movimentos já devem ter sido aplicados anteriormente, mas sem detalhes técnicos ou específicos quanto à sua execução e, nesse momento da vida do aluno, podem ser explorados de acordo com a bagagem motora que ele traz de anos anteriores na Educação Física e em suas atividades físicas em geral.

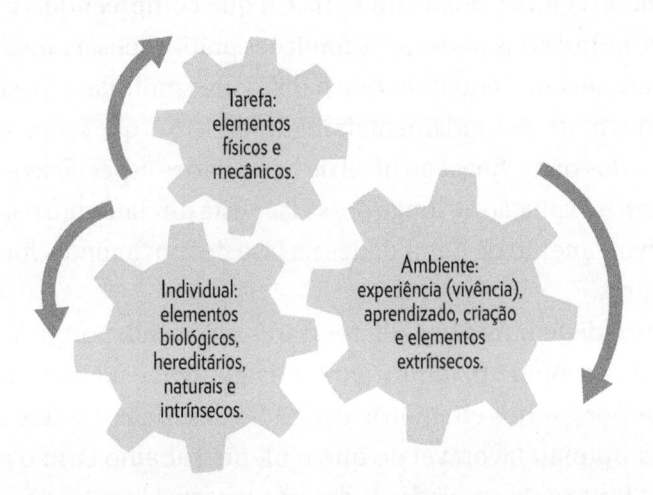

Figura 3.2 – Relação dos fatores no desenvolvimento motor humano.[6]

O professor deve pensar e repensar sobre o aspecto motor do aluno, porque a relevância dele é imensa dentro de seu trabalho. Ampliar o universo cultural, formar o cidadão crítico, formar o cidadão transformador de sua realidade, desenvolver competências e habilidades psicomotoras, envolver as questões socioafetivas e os fatores cognitivos são objetivos do educador, que, ao trabalhar a motricidade, estará também trabalhando esses fatores.[16] A mais ampla configuração de alinhamento do desenvolvimento motor (Quadro 3.3) é considerada por mim como uma verdadeira coletânea de tantas outras linhas de estudo voltadas para esse conceito. Essa estruturação se mostra completa e bem detalhada ao longo das faixas etárias que são propostas. Além do mais, cita que as habilidades desenvolvidas deverão ser utilizadas na vida adulta de forma permanente, seja por ludicidade, seja por competição.

Quadro 3.3 – As fases do desenvolvimento motor[5,6,7,8,9,11,14,15,17]

Faixas etárias aproximadas de desenvolvimento	Utilização permanente na vida diária de forma recreativa ou competitiva	Estágios do desenvolvimento motor
14 anos em diante 11 a 13 anos 7 a 10 anos	Fase motora especializada (movimento especializado)	Estágio de utilização permanente Estágio de aplicação Estágio transitório
6 a 7 anos 4 a 5 anos 2 a 3 anos	Fase motora fundamental (movimento fundamental)	Estágio maduro Estágio elementar Estágio inicial
Nascimento até 2 anos	Fase motora rudimentar (movimento rudimentar)	Estágio de pré-controle Estágio de inibição de reflexos
Dentro do útero até 1 ano	Fase motora reflexa (movimento reflexo)	Estágio de decodificação de informações Estágio de codificação de informações

As habilidades de movimento especializado (específico ou determinado culturalmente) são padrões fundamentais, refinados e também combinados para formar habilidades esportivas (fundamentos técnicos dos esportes) e outras tantas destrezas complexas e específicas. São especificidades de certas tarefas motoras, contrariamente aos movimentos fundamentais.[6]

As habilidades motoras determinadas culturalmente, segundo os estudos, devem estar inseridas na faixa etária dos 12 anos (aproximadamente e seguindo algumas peculiaridades já citadas) e devem ser aplicadas por meio de qualquer atividade que seja de comum interesse da comunidade. No caso de um esporte já praticado pelos alunos em momentos fora do horário escolar, será mais fácil, pois o grupo dominará amplamente elementos como as regras, o que facilita a participação e o ensino em si.

Com a crescente influência dos conhecimentos de desenvolvimento e aprendizagem motora na atuação dos professores, muitos autores propuseram a abordagem desenvolvimentista (detalhada no Capítulo 2) para dar sustentação à prática da Educação Física escolar.[12]

Alguns exemplos (Quadro 3.4) citando a atividade utilizada na aula de Educação Física, a faixa etária inicial indicada, os eixos temáticos envolvidos (ver Capítulo 4) e o tipo de movimento a ser trabalhado de acordo com o desenvolvimento motor em questão podem ser analisados pelos professores quando da sua administração nos programas escolares. Percebe-se, na verdade, que em muitas situações os exercícios realizados pelos alunos servem em quase todas as indicações dos estudos da motricidade, mas é a forma de execução e de cobrança do professor que vai diferenciar e validar o trabalho.

A criança na idade pré-fundamental pode executar uma habilidade considerada básica com inúmeras limitações quanto à sua mais correta execução, mas no decorrer do seu desenvolvimento ao longo dos anos deverá aprimorar essa mesma ação devido à continuidade da vivência de experiências não só desse movimento, mas de tantas outras explorações.

> Criança Ativa - Vivência Motora - Experiências Múltiplas
> - Aula Produtiva - Desenvolvimento Integral

Quadro 3.4 - Relação das atividades da Educação Física, com movimentos e eixos temáticos envolvidos, bem como a idade em questão

ATIVIDADE	EIXOS TEMÁTICOS	TIPOS DE MOVIMENTO	FAIXA ETÁRIA INDICADA
Pular corda	• Estrutura corporal • Relaxamento • Coordenação dinâmica geral • Reconhecimento do espaço de ação • Noção de estrutura rítmica	Movimentos fundamentais	5-6 anos em diante
Bater bola, segurar, saltar e arremessar	• Estrutura corporal • Lateralidade • Coordenação dinâmica geral • Apreciação do espaço corporal • Noção de sequência e simultaneidade	Combinação dos movimentos fundamentais	7 anos em diante

Salto triplo	• Lateralidade • Relaxamento • Localização espacial • Reconhecimento do espaço de ação • Noção de estrutura rítmica, sequência, velocidade e aceleração	Movimentos determinados culturalmente (Fase motora especializada)	9-10 anos em diante

Se a mudança ocorrer de forma clara e relativamente permanente na performance da habilidade trabalhada, podemos então afirmar que houve uma qualificação importante no nível de aprendizagem motora. A observação deve ser constante para a correta avaliação do processo que passa o aluno. Dedicação e paciência vão ser atributos do professor nessa sistemática.

3.2 – Estudos relacionados à motricidade

A pesquisa oferece uma gama imensa de estudos relacionados ao desenvolvimento humano no campo da motricidade. Somos premiados com muitas informações e conhecimento científico disponível para a melhor compreensão de elementos primordiais voltados para o trabalho no âmbito escolar. Assim, o educador físico pode e deve se apoderar desses subsídios e usufruir deles em sua prática, com o devido discernimento aliado ao seu esforço e à sua capacidade. Nutrir essa ação será o modo de viabilizar a finalidade pretendida por nós professores perante nossos alunos.

Em resumo, pode-se dizer que a somatória das questões individuais, ambientais e da tarefa em si levarão ao desenvolvimento motor de um ser humano; quer dizer: o tempo não é o único elemento a ser considerado.[6]

Alguns modelos foram propostos pela literatura sobre o desenvolvimento dos estágios de aprendizagem motora ao longo dos anos de pesquisa. Os três grupos dos padrões fundamentais de movimento podem assim ser classificados:[18]

- Locomoção: andar, correr, saltar etc. (exploração do ambiente)
- Manipulação: arremessar, driblar, chutar etc. (relação com objeto)

- Estabilização: giros, flexões, rotações etc. (manutenção da postura em relação ao espaço e à força gravitacional)

O desenvolvimento cognitivo, segundo Jean Piaget, ocorre por meio do processo de adaptação e de mais dois processos complementares: acomodação e assimilação (Figura 3.3).[6] Considero importante o educador relacionar estudos dessa categoria com as suas ações práticas no decorrer das aulas de Educação Física, que são também diretrizes para a motricidade.

Adaptação:
exige ajustes nas condições ambientais (ajuste cognitivo à mudança do ambiente). Vai ser concretizado com os dois processos complementares.

Acomodação:
quando a criança tem que se adaptar a novas informações que são acrescentadas ao seu repertório de respostas. É o ajuste das atuais respostas a fim de atender a demandas específicas de um objeto ou uma ação.

Assimilação:
formatação de novas informações e incorporação destas às estruturas cognitivas já existentes. Fase da interpretação de novas informações com base nas já conhecidas. Se não for possível realizar esta interação, ocorrerá a acomodação. Além do mais, se a as informações forem muito diferentes das estruturas existentes, estas não serão assimiladas nem acomodadas.

Figura 3.3 – Segundo a visão de Jean Piaget, o processo de adaptação ocorre por meio dos processos complementares da acomodação e da assimilação, dentro do estudo do desenvolvimento cognitivo.[6]

Os padrões fundamentais da motricidade (Figura 3.4) apresentam outra relação que resume as formas de deslocamento do ser humano e que auxiliam no momento de organização e sistematização de tarefas para usarmos de forma gradativa nas aulas.

| | **Locomoção (Godfrey e Kephart, 1969)**
Andar, correr, saltar, trepar, rolar, galopar e saltar no mesmo pé. |

| | **Manipulação (Gallahue, 1982; Wickstrom, 1983; Williams, 1973)**
Arremessar, receber, rebater, chutar, driblar, conduzir e volear. |

| | **Equilíbrio (Gallahue, 1982; Godfrey e Kephart, 1969)**
Estar em pé, estar sentado, girar os braços, flexionar o tronco, girar o tronco, fazer parada de mãos, executar rolamentos, equilibrar num só pé e caminhar sobre uma superfície de pequena amplitude. |

Figura 3.4 – Padrões fundamentais de movimento.[11]

Trabalhando a prática motora nos alunos da faixa etária escolar, sobretudo entre 3 e 10 anos, atenderemos às características de crescimento e desenvolvimento motor das crianças, levando aos seguintes efeitos:[3]

- desenvolvimento físico (ósseo, muscular, cardíaco, circulatório e controle da obesidade);
- desenvolvimento das habilidades motrizes ("skills");
- desenvolvimento perceptivo-motor;
- desenvolvimento da autoimagem e do esquema corporal;
- desenvolvimento do ajuste social e da estabilidade emocional.

Teorias surgem ao longo do tempo (Quadro 3.5) relacionadas ao desenvolvimentismo e, por consequência, à motricidade. O período da "Teoria Fase-Estágio", denominado por Gallahue e Ozmun (2003), pressupõe que o desenvolvimento humano segue uma ordem universal, em que cada etapa é caracterizada por determinados tipos de comportamento.[14]

Os mesmos autores, fundamentados nos estudos de Robert Harvighurst (1972), propuseram a "Teoria da Tarefa Desenvolvimentista", aparecendo pela primeira vez a ideia de que existem momentos mais adequados para o ensino do indivíduo, nos quais o corpo estaria apto para tanto.[14]

Também os estudos de Jean Piaget sobre a interação dos aspectos biológicos e das influências do meio na cognição apresentaram grande influência nas pesquisas do desenvolvimento motor de Gallahue e Ozmun (2003), levando-os a conceituar a linha de pensamento como a "Teoria do Marco Desenvolvimentista".[6,14]

Essas correntes apresentadas anteriormente descrevem como as pessoas estão de acordo com as fases, estágios, tarefas e o marco desenvolvimentista. Outra concepção é a "Teoria Ecológica" (Gallahue e Ozmun, 2003), que apresenta a relação mais aprofundada do contexto ambiental e a estrutura histórica com o momento da pessoa para a execução da tarefa motora. A corrente pedagógica determina que tais fatores são determinantes para o desenvolvimento humano. A "Teoria dos Sistemas Dinâmicos" parte do pressuposto de que há descontinuidade no processo de desenvolvimento, além de ele ser autônomo em relação à organização e prover da interação entre indivíduo, tarefa e meio ambiente ao longo do tempo. A interpretação da pessoa do contexto ambiental específico em transação com o meio histórico e sociocultural caracteriza a "Teoria do Ambiente Comportamental".[14]

Quadro 3.5 – Teorias relacionadas ao desenvolvimentismo[14]

DENOMINAÇÃO	ESTUDIOSOS QUE SERVIRAM DE REFERÊNCIA PARA GALLAHUE E OZMUN (2003)
"Teoria Fase-Estágio"	Sigmund Freud; Arnold Gessel (1928 a 1954); Erik Erikson (1963 a 1980)
"Teoria da Tarefa Desenvolvimentista"	Robert Harvighurst (1972)
"Teoria do Marco Desenvolvimentista"	Jean Piaget
"Teoria dos Sistemas Dinâmicos"	Kluger, Kelso e Turvey (1982); Thelen (1989) e Alexander et al. (1993), estes como continuidade dos trabalhos do fisiologista russo Nicholas Bernstein (1967)
"Teoria do Ambiente Comportamental"	Kurt Lewin (1930 a 1940); Roger Barker (1950 a 1970); Urie Bronfenbrenner (1970 a 1990)

Os modelos de Fitts e Posner (1967) são usados por seguidores do desenvolvimentismo para entender como se processa a aprendizagem motora (Figura 3.5), com a divisão feita em três estágios de aprendizagem.[6,7,14] Esse estudo é um modelo que procura identificar como está cada fase de aprendizagem à medida que a prática ocorre e sob o que o aprendiz pensa e se concentra durante o desempenho (ação motora) de certa habilidade trabalhada. Devemos estar atentos aos estudos para aperfeiçoar a condição de ministrar os conteúdos nas escolas.

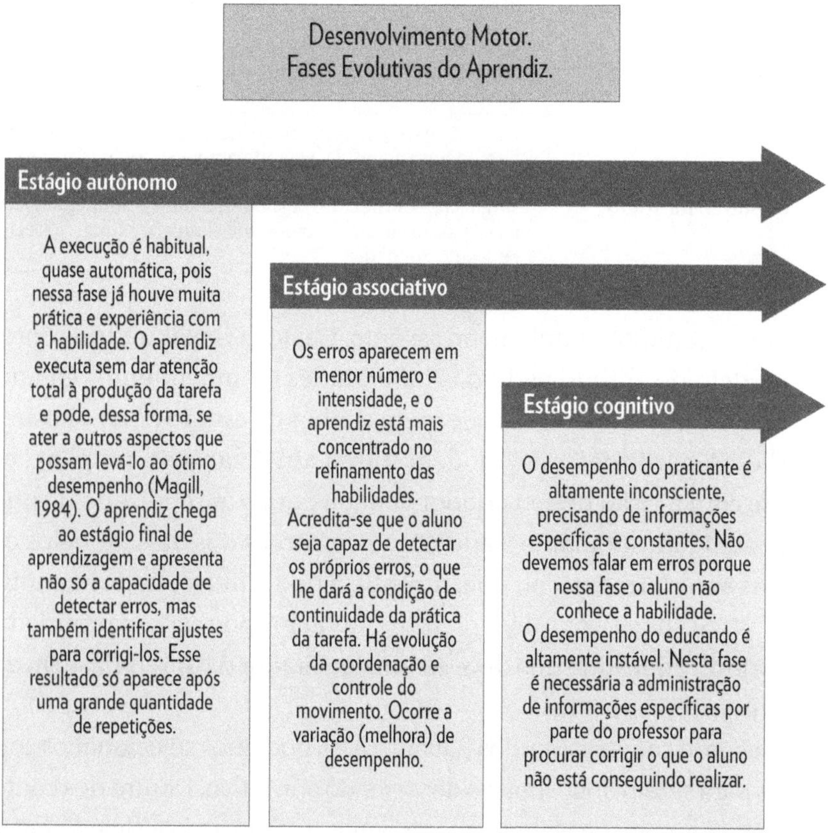

Desenvolvimento Motor. Fases Evolutivas do Aprendiz.

Estágio autônomo

A execução é habitual, quase automática, pois nessa fase já houve muita prática e experiência com a habilidade. O aprendiz executa sem dar atenção total à produção da tarefa e pode, dessa forma, se ater a outros aspectos que possam levá-lo ao ótimo desempenho (Magill, 1984). O aprendiz chega ao estágio final de aprendizagem e apresenta não só a capacidade de detectar erros, mas também identificar ajustes para corrigi-los. Esse resultado só aparece após uma grande quantidade de repetições.

Estágio associativo

Os erros aparecem em menor número e intensidade, e o aprendiz está mais concentrado no refinamento das habilidades. Acredita-se que o aluno seja capaz de detectar os próprios erros, o que lhe dará a condição de continuidade da prática da tarefa. Há evolução da coordenação e controle do movimento. Ocorre a variação (melhora) de desempenho.

Estágio cognitivo

O desempenho do praticante é altamente inconsciente, precisando de informações específicas e constantes. Não devemos falar em erros porque nessa fase o aluno não conhece a habilidade. O desempenho do educando é altamente instável. Nesta fase é necessária a administração de informações específicas por parte do professor para procurar corrigir o que o aluno não está conseguindo realizar.

Figura 3.5 – Fases de aprendizagem motora (Fitts e Posner, 1967).[6,7,14]

Em 1972, Gentile propôs um modelo alternativo de aprendizado de uma nova habilidade de movimento (Quadro 3.6). Com o passar dos anos, essa teoria foi expandida com base na perspectiva dos objetivos do aprendiz, que estabelece padrões e metas.[6]

Quadro 3.6 – Estágios propostos por Gentile sobre a
aprendizagem de uma nova habilidade motora[6]

Estágio de compreensão da ideia	É uma fase na qual o praticante aprende como executar a tarefa sob condições altamente específicas. O principal objetivo do aprendiz é adquirir uma consciência básica das exigências essenciais para um sucesso na execução da habilidade. Neste estágio é estabelecido um padrão de movimento, e o praticante busca fazer discriminações brutas do modo de execução da tarefa.
Estágio de fixação/ diversificação	É uma fase na qual o aprendiz visa alcançar consistência na habilidade aprendida, estando apto a superar as variáveis de uma tarefa, podendo se adequar às tarefas que possam surgir. O praticante busca solidez, fluidez e adaptabilidade na execução, mesmo estando sob condições ambientais em constante mudança.

Grande estudioso também no assunto, David L. Gallahue apresentou um modelo de aprendizado das habilidades de movimento (Quadro 3.7) embasado nos elementos de outras linhas de estudo (Fitts e Posner; Gentile). A partir daí, esse modelo sofreu atualizações e ampliações, sempre com a visão de seu criador voltada para o aprendizado de uma nova habilidade mediante a adaptação de fatores dos dois modelos estudados anteriormente, ou seja, reconhecendo tanto o estado cognitivo como os seus objetivos. Além disso, o estudo propõe ações apropriadas por parte do educador, que deve ser um facilitador da aprendizagem em seus três níveis supostos.[6]

De acordo com tais estudos (Quadro 3.8), podemos selecionar os conteúdos para serem aplicados no decorrer do ano letivo. Dentro dos conteúdos, no momento de elaborarmos as aulas de Educação Física, é preciso sempre considerar a motricidade, proporcionando a adequação necessária para o bom andamento do trabalho com os alunos.

Quadro 3.7 – Níveis e estágios do aprendizado de uma nova habilidade de movimento desenvolvidas por Gallahue (1982), Gallahue e Cleland-Donnelly (2003)[5,6]

Nível	Estágio	Descrição
Nível iniciante/novato: o aprendiz tenta desenvolver um plano mental de execução, buscando adquirir a consciência básica dos requisitos da tarefa. A estrutura geral do movimento é passada pelo instrutor. É normal aparecer cansaço e maior desgaste (dispêndio excessivo e desnecessário de energia), devido ao fato de o aprendiz prestar atenção a todos os elementos da tarefa e não saber selecionar as informações mais importantes, ou seja, não descartar as menos relevantes.	Estágio da consciência	O objetivo do aprendiz é ter noção (ideia) de como a tarefa deve ser executada. Na parte cognitiva, ele quer saber como o corpo deve se movimentar e o instrutor deve ajudar o seu seguidor a ter uma noção geral da tarefa. É a fase do entendimento da ideia.
	Estágio da exploração	O executante sabe o que deve ser feito, mas é incapaz de fazê-lo de forma consistente. O seu intuito é experimentar (explorar) como o corpo pode se movimentar. O papel do instrutor é de auxiliar a exploração e a descoberta, pois o aprendiz objetiva vivenciar as diversas possibilidades dos movimentos.
	Estágio da descoberta	O executante quer encontrar meios mais eficazes de cumprir a tarefa e o professor deve auxiliá-lo a adquirir maior controle do movimento e a coordenação motora necessária. No estado cognitivo, o aprendiz forma um plano mental consciente para a execução. É um estágio de coordenação e controle, no qual o executante "descobre" como deve executar.
Nível intermediário/prático: O instrutor auxilia o aprendiz a focar a combinação e o refinamento das habilidades. O aprendiz tem boa compreensão geral da tarefa e tenta "senti-la". Os movimentos mal coordenados do nível anterior desaparecem.	Estágio de combinação	No estado cognitivo, o executante combina habilidades, dando menos atenção consciente a seus elementos. Seu objetivo é integrar as múltiplas habilidades em uma sequência ordenada. O papel do instrutor é auxiliar o seu aprendiz a integrar e usar as combinações.
	Estágio de aplicação	O professor deve incentivar o refinamento e a aplicação da tarefa. O aprendiz quer usar a tarefa em alguma forma de atividade, como um movimento especializado. No plano cognitivo ele faz esforços para refinar a habilidade.
Nível avançado/refinado: O aprendiz tem total entendimento da tarefa, podendo desprezar as informações irrelevantes, demonstrando pouca ou nenhuma atenção consciente aos elementos cognitivos. A ação parece ser quase automática.	Estágio de performance	O executante quer maior controle e eficiência da tarefa e o instrutor deve ajudar a alcançar maior precisão de movimento. O objetivo do aprendiz é usar os elementos da tarefa em situações específicas de desempenho.
	Estágio individualizado	Cabe ao professor personalizar (individualizar) a tarefa de movimento em conjunto com o aprendiz, que por sua vez quer modificar o seu rendimento para maximizar o sucesso. O estado cognitivo dessa última fase envolve performance fina refinada, baseada nos atributos, pontos fracos ou fortes e limitações pessoais. O estilo de execução surge.

Quadro 3.8 – Escolha dos objetivos programáticos da Educação Física, levando em consideração as fases do desenvolvimento motor[14,18]

Educação Infantil ao 5º ano do Ensino Fundamental	Habilidades motoras básicas. Promover oportunidades variadas de experiências motoras, respeitando o desenvolvimento hierárquico dos movimentos.

6º ano em diante (12 anos ou mais)	Habilidades específicas. Habilidades mínimas necessárias para novos movimentos já estão presentes. Condições de maturação do SNC são ideias para aprendizagem de destrezas.

Um estudo bastante voltado para as ações práticas que ocorrem em aula, baseado nos modelos de Fitts e Posner, utiliza os termos "inconsciente", "consciente", "incompetente" e "competente" (Quadro 3.9), observando a evolução do aprendiz ao assimilar uma determinada tarefa. Devemos ter a paciência devida e respeitar a evolução do aluno, sabendo que há uma decisiva individualidade, vivências motoras anteriores e fatores ambientais, bem como culturais, relacionados à consumação desse processo.

Quadro 3.9 – Sequência prática esperada no aprendizado de um gesto motor

Inconsciente e Incompetente (II)	Não sabe executar e não sabe o que está errando.
Consciente e Incompetente (CI)	Não sabe executar, mas sabe o que está errando.
Consciente e Competente (CC)	Sabe executar e pensa para fazer essa tarefa. A ação não chegou ao estágio do automatismo.
Inconsciente e Competente (IC)	Sabe executar e não pensa para fazer, ação é automática.

O "Inconsciente e Incompetente" (II) é a fase inicial na aprendizagem do movimento. O praticante não detecta erros, não os percebe, não tenta corrigir, nem sabe qual o modo de fazê-lo; na verdade não sabe que está executando de forma incorreta ou correta. O "Consciente e Incompetente" (CI) reflete o momento do aprendizado em que o praticante está ainda executando de forma errada, mas sabe que está errando e detecta os defeitos, podendo ter melhores condições de corrigi-los no futuro.

O "Consciente e Competente" (CC) representa o momento em que o indivíduo faz o movimento de forma correta, praticamente sem erros, detecta algum defeito que possa ocorrer, mas tem que "pensar" para praticar, não fazendo de forma automática ou inconsciente. O "Inconsciente e Competente" (IC) traduz a fase em que o indivíduo executa o gesto de forma correta, sem erros, e demonstra automatismo, ou seja, faz sem prestar atenção nos detalhes do movimento e, assim, pode se preocupar com outros elementos do movimento em questão.

Para entendermos melhor essa ideia, damos o exemplo (Quadro 3.10) de um movimento extremamente básico e muito usado em aulas: o drible, seja como fundamento técnico esportivo, seja simplesmente como combinação de habilidades motoras manipulativas, estabilizadoras e locomotoras.

Quadro 3.10 – Exemplificação: drible do basquetebol

(II)	Bate bola acima da cintura, não flexiona joelhos e tronco, olha somente para a bola e não percebe tais defeitos.
(CI)	Percebe o posicionamento corporal e que precisa bater mais fraco na bola, bate bola até a linha da cintura e consegue olhar um pouco para a frente, sem controlar ritmo e velocidade, por exemplo.
(CC)	Domina a ação básica do drible, olha para a frente, flexiona joelhos e tronco, economiza energia no gesto de bater na bola, mas pensa nestes detalhes e não demonstra automatismo ainda.
(IC)	Executa o movimento de forma correta na sua integralidade, demonstra automatismo, pois pode olhar para frente e para os lados, além de economizar energia nas ações, controlar ritmo e velocidade, bem como pensar no que irá fazer (passar ou arremessar) antes de parar de bater a bola.

Os estudos desenvolvimentistas preocupam-se inteiramente em observar a sequência de desenvolvimento motor sugerida por alguns autores. Podemos ver a seguir (Figura 3.6) a descrição de Harrow (1983), que trata de conceitos relacionados à motricidade.[14] Tais descrições são fundamentais na abordagem desenvolvimentista.

Capacidades Físicas: a execução da habilidade motora depende essencialmente de força, resistência, agilidade e flexibilidade. O nível de execução pode melhorar quando as capacidades são desenvolvidas.

Habilidades Específicas: envolve as destrezas. Atividades de maior grau de complexidade e com objetivos específicos. Os gestos esportivos são ótimos exemplos.

Comunicação Não Verbal: atividades que permitem a expressão por meio de movimentos mais complexos. A dança e a ginástica artística, servem como exemplos.

Habilidades Básicas: permitem a locomoção e a manipulação; vão possibilitar a aquisição de habilidades mais complexas no futuro, ou seja, servindo de base.

Habilidades Perceptivas: envolve a interpretação pelo sistema nervoso central de estímulos auditivos, visuais, cinestésicos e táteis. Tal fenômeno leva ao ajuste da resposta ao ambiente.

Movimentos Reflexos: permitem a sobrevivência do recém-nascido por meio de respostas automáticas e involuntárias, bem como a sua interação com o meio ambiente, sendo que este último por respostas voluntárias.

Figura 3.6 – Taxionomia do domínio motor (Harrow, 1983).[14]

Cabe a nós, educadores físicos, explorarmos o máximo dos jovens alunos para alcançarem o máximo de resultados (Figura 3.7). A união dos conteúdos pertinentes à faixa etária com a observação dos fatores que contemplam essa área de estudo será de enorme valia para caracterizar uma grandiosa fórmula de sucesso.

```
┌─────────────────────┐        ┌─────────────────────┐
│ Respeitar faixa     │        │ Conhecer os estudos │
│ etária, acervo      │        │ voltados para o     │
│ motriz e            │        │ desenvolvimento     │
│ individualidade.    │        │ humano              │
└─────────────────────┘        └─────────────────────┘
```

| Jogos e brincadeiras | ← | **Desenvolvimento motor pleno** | → | Dança, ginástica e luta |

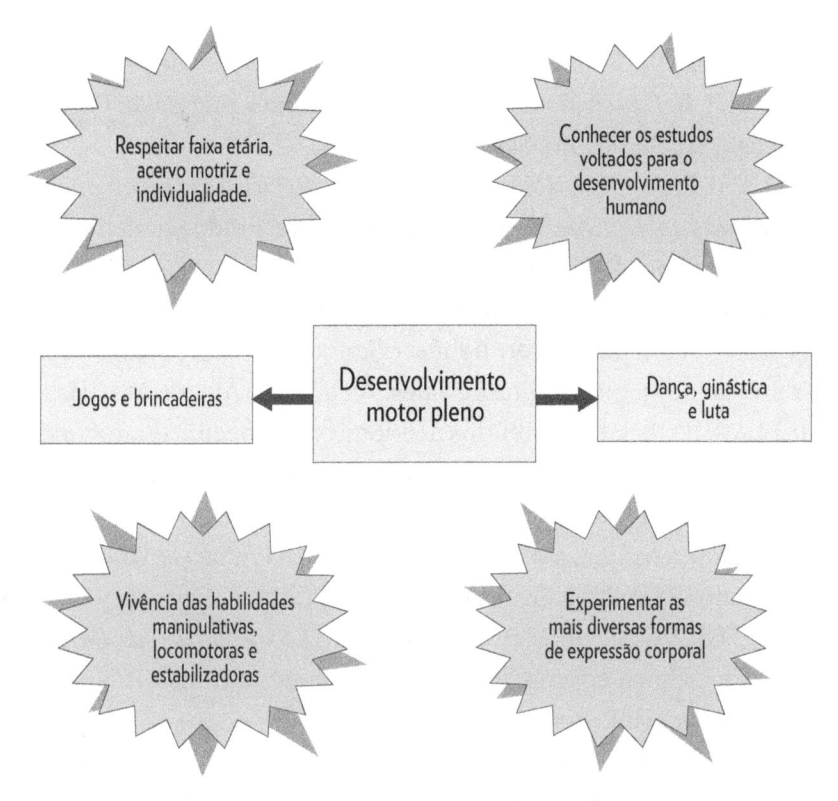

```
┌─────────────────────┐        ┌─────────────────────┐
│ Vivência das        │        │ Experimentar as     │
│ habilidades         │        │ mais diversas       │
│ manipulativas,      │        │ formas de           │
│ locomotoras e       │        │ expressão corporal  │
│ estabilizadoras     │        │                     │
└─────────────────────┘        └─────────────────────┘
```

Figura 3.7 – Tópicos indicados ao professor e aspectos a serem trabalhados, com o intuito de alcançar o pleno desenvolvimento da motricidade do aluno.

Por fim, enfatizo que o desenvolvimento motor e a motricidade de uma forma mais ampla constituem um ponto essencial na viabilidade do bom trabalho do professor na escola. Essa temática é complexa, apresenta diversas vertentes, mas, em contrapartida, oportuniza o educador a ministrar excelentes aulas e engrandecer a sua carreira.

Referências bibliográficas

1. ARAÚJO, R. A. S. *A educação física na formação inicial:* prática pedagógica e currículo. São Luís, MA: 360º Gráfica e Editora, 2014.
2. CARVALHO, Y. M. *O "mito" da atividade física e saúde.* São Paulo: HUCITEC, 1995.

3. FERREIRA NETO, C. A. *Motricidade e jogo na infância*. Rio de Janeiro: Sprint, 1995.
4. FREIRE, J. B. *Educação de corpo inteiro*. Teoria e prática da Educação Física. 2. ed. São Paulo: Scipione, 1991.
5. GALLAHUE, D. L.; DONNELLY, F. C. *Educação Física desenvolvimentista para todas as crianças*. Tradução de Samantha Prado Stamatiu; Adriana Elisa Inácio. 4. ed. São Paulo: Phorte, 2008.
6. GALLAHUE, D. L.; OZMUN, J. C.; GOODWAY, J. D. *Compreendendo o desenvolvimento motor:* bebês, crianças, adolescentes e adultos. Tradução de Denise Regina de Sales. 7. ed. Porto Alegre: AMGH, 2013.
7. GALLARDO, J. S. P. Conteúdos acadêmicos: aspectos neurocomportamentais. In: _____. (Coord.). *Educação Física:* contribuições à formação profissional. 3. ed. Ijuí, RS: Ed. Unijuí, 2000.
8. _____. *Prática de ensino em educação física:* a criança em movimento. São Paulo: FTD, 2010. (Coleção Teoria e Prática).
9. _____; OLIVEIRA, A. A. B.; ARAVENA, C. J. O. *Didática de Educação Física:* a criança em movimento: jogo, prazer e transformação. São Paulo: FTD, 1998.
10. HAYWOOD, K. M.; GETCHELL, N. *Desenvolvimento motor ao longo da vida*. 5. ed. Porto Alegre: Artmed, 2010.
11. LIMA, A. *Educação Física:* mais de 400 questões com gabarito comentado. Rio de Janeiro: Elsevier, 2010.
12. MANOEL, E. J. Atividade motora e qualidade de vida: uma abordagem desenvolvimentista. In: BARBANTI, V. J. et al. (Org.). *Esporte e atividade física:* interação entre rendimento e qualidade de vida. Barueri, SP: Manole, 2002.
13. MATTOS, M. G.; NEIRA, M. G. *Educação Física infantil:* construindo o movimento na escola. 7. ed. São Paulo: Phorte, 2008.
14. MELLO, J. A. C. Abordagem desenvolvimentista. In: SILVA, S. A. P. S. (Org.). *Portas abertas para a Educação Física:* falando sobre abordagens pedagógicas. São Paulo: Phorte, 2013. (Coleção Educação Física e Esportes).
15. PEREIRA, S. A. M. O movimento na infância: conhecer para intervir. In: PEREIRA, S. A. M; SOUZA, G. M. C. (Org.). *Educação Física escolar:*

elementos para pensar a prática educacional. São Paulo: Phorte, 2011.
16. ROSSETTO JR., A. J.; COSTA, C. M.; D'ANGELO, F. L. *Práticas pedagógicas reflexivas em esporte educacional:* unidade didática como instrumento de ensino e aprendizagem. São Paulo: Phorte, 2008.
17. TANI, G. *Leituras em Educação Física:* retratos de uma jornada. São Paulo: Phorte, 2011.
18. _____ et al. *Educação Física escolar:* fundamentos de uma abordagem desenvolvimentista. São Paulo: EPU, 1988.
19. TOJAL, J. B. A. G. *Motricidade humana:* o paradigma emergente. Campinas, SP: Editora da Unicamp, 1994.

- CAPÍTULO 4 -
A psicomotricidade e sua relação com os conteúdos escolares

A psicomotricidade está intimamente ligada à Educação Física escolar, bem como está relacionada com o desenvolvimento humano e abrange as três dimensões que são extremamente visadas no aluno por nós educadores físicos: cognição, motricidade e aspectos afetivo-sociais.

Seja qual for a metodologia de ensino a ser aplicada, estrutura ou estratégia de aula, tipo de avaliação, corrente pedagógica e metodológica a ser seguida, sempre acredito que os fatores preestabelecidos pela ciência da psicomotricidade devem estar presentes nos objetivos de cada aula, associados aos conteúdos a serem ministrados.

Os elementos que constituem essa ciência estão na elaboração de qualquer aula de Educação Física, podendo modificar a forma de atuar tanto do professor quanto do aluno, e são trabalhados de forma enfática e, inclusive, dentro dos propósitos da nossa área de conhecimento.

O jogo, constante objeto de estudo da área, faz parte do processo da psicomotricidade na escola. A situação do jogo escolar, bem como da livre expressão motora, é um bom ponto de partida para fazer o aluno passar da fase de experiências amplas para a fase de maior aceitação e assimilação de determinados limites. Apesar de ser essencial oferecer à criança um espaço livre de criação, isso não é suficiente, já que ela necessita da vivência de situações que, inesperadas, não são escolhidas por ela, mas sim propostas pelo professor e pela sociedade.[6]

Diversas são as formas de interferência do professor no histórico da cultura corporal do jovem que frequenta a escola. Quanto mais atuante e direta for essa interferência, melhor e maior será a prosperidade do seu acervo motor, de suas vivências e possibilidades de crescimento e desenvolvimento. O meio ambiente auxilia as inter-relações pessoais, e o usufruto das atividades propostas, bem como a ação direta da escola, pode colaborar para isso, uma vez que todos são pontos decisivos e devem, em tese, ser favoráveis para o aluno no processo pedagógico.

Para Fonseca (2009), a psicomotricidade é uma prática que contribui para o pleno desenvolvimento da criança no processo ensino-aprendizagem, fato que favorece seus aspectos físicos, mentais e afetivo-emocionais, levando à formação de sua personalidade. Essa ciência tem um papel muito importante no contexto da educação, contemplando o desenvolvimento a partir do movimento do corpo, envolvendo a fase não verbal da criança e possibilitando a construção do psiquismo, interagindo com tudo e com todos que a rodeiam. Para que a psicomotricidade seja eficaz no processo pedagógico, é primordial que o professor acredite no potencial de seus alunos, respeitando questões como a individualidade e sendo sabedor das dificuldades e possíveis insatisfações que possam vir a ter. Oferecer atividades e oportunidades para que a criança se comunique, crie e se expresse emocionalmente e fisicamente deve ser uma prática constante para sua interação com o mundo e para a construção de sua autonomia.[12]

A psicomotricidade é a relação entre o cognitivo (pensamento) e o motor (ação), envolvendo o afetivo (emoção). É uma ciência da educação, ou seja, procura educar o movimento envolvendo, simultaneamente, as funções da inteligência (cognitivas). É o estudo do ser humano por meio de seu corpo em movimento e em relação ao seu mundo interno e externo, além de compreender as suas possibilidades de sentir e agir consigo mesmo, com os outros e com os objetos que o circundam.[7]

Há muitos anos a psicomotricidade tem sido relatada como ciência permanente e importante na educação como um todo e, sem dúvida, na Educação Física também. Darido e Rangel (2005), com base na tese de Le Bouch (1986), defendem que a psicomotricidade é uma ação educativa que deve ocorrer a partir dos movimentos espontâneos da criança e de suas atitudes corporais, levando à formação de sua imagem corporal (esquema corporal), bem como desenvolvendo sua personalidade, entre outros tópicos.[7]

A Educação Física deve adaptar o seu programa a fim de propiciar ao aluno a condição de apropriar-se das habilidades características da motricidade que lhe são peculiares, de acordo com a idade em que se encontra, adaptando também seus esforços conforme a natureza das ações motrizes efetuadas, controlando assim a ansiedade do jovem em expressar suas emoções.[6]

Por muitos anos, e possivelmente décadas, vivenciamos uma Educação Física tecnicista, ou seja, voltada para o esporte, para o fundamento técnico do desporto rigoroso e sem alteração, inclusive sem a condição de vivências diversas do praticante. Entendo que, com a assimilação de correntes alternativas, como a psicomotricidade e o seu usufruto, certas teorias e pontos tradicionais foram derrubados, permitindo uma ação mais efetiva e prazerosa para com o aluno na escola em aula, desde a Educação Infantil até o Ensino Médio. Essa linha que caracterizou a Educação Física transformadora (a partir dos anos 1980) revolucionou as atitudes e pensamentos das pessoas envolvidas com a disciplina, proporcionando um quadro diferente do que se tinha até então.

4.1 – Aspectos psicomotores

Muitas são as relações propostas na literatura sobre os aspectos psicomotores[9] (Quadro 4.1), portanto apresento, após a leitura de diversas fontes bibliográficas, os seguintes aspectos e suas características: esquema corporal, estruturação espacial, orientação temporal, coordenação motora global, coordenação motora fina, ritmo e equilíbrio. Compõem a listagem tanto os aspectos psicomotores quanto os eixos temáticos, que serão apresentados na sequência.

Quadro 4.1 – Aspectos psicomotores

Esquema corporal	Reconhecer o que temos no corpo, incluindo suas partes diferentes entre si, em relação ao espaço e objetos que estão ao redor. Essa relação pode se dar em posição estática ou dinâmica. Diz respeito a perceber o que tem do corpo e de suas partes, entendendo que essas partes são integrantes de um todo. Ligações afetivas e emocionais também serão desenvolvidas nesse contexto. Para Oliveira (2003), o esquema corporal é uma construção mental, não dependendo do treino e, sim, sendo organizado por meio da experimentação.[11] Associada à imagem corporal, diz respeito à capacidade da criança em discriminar com precisão as partes do próprio corpo. Um dos pontos pretendidos é que se possa ter o conhecimento daquilo que as partes do corpo podem fazer, além de conhecer como se deve fazer para que sejam movimentadas com eficiência.[2] Estabelecer relações entre o corpo da criança, por meio de movimentos diversos e de jogos, e os objetos do seu meio e pessoas de sua convivência é uma ação primordial da Educação Física. Inclui: estrutura corporal, ajuste postural, respiração, relaxamento, tônus da postura e lateralidade. Tônus da postura: significa controlar a tensão dos grupos musculares e manter corretamente as posições corporais, bem como das diversas partes do corpo. Relaciona-se ao tônus postural. É uma atividade constante do músculo. Atividades e jogos que envolvem equilíbrio dinâmico ou estático podem estimular tal aspecto psicomotor. Lateralidade: preferência de utilização dos segmentos corporais de um dos lados. Refere-se à dominância lateral de um dos membros superiores ou inferiores. Condição de absorver a consciência da simetria corporal, movimentar os segmentos de forma independente e aprimorar os movimentos específicos dos segmentos dominantes. Para Fonseca (1995), a lateralidade se estabiliza por volta dos cinco anos de idade e é comandada por fatores genéticos, apesar de que a treinabilidade e as vivências corporais podem interferir.[11] Capacidade muito complexa que organiza as sensações relativas ao próprio corpo, relacionando-se com o mundo exterior e levando a uma conexão que gera uma imagem real do que se pode fazer com ele.[4]
Estruturação espacial	Capacidade de orientar-se diante de um espaço físico e perceber as relações de proximidade dos objetos, locais e pessoas entre si. Desenvolve fatores como: apreciação do espaço corporal, localização espacial e reconhecimento do espaço de ação. Pode ser dividida em duas categorias: conhecimento de quanto espaço o corpo ocupa e capacidade de projetar o corpo efetivamente no meio externo.[2] A organização espacial é uma construção mental que se desenvolve através do relacionamento de ações e objetos, observando-os e comparando-os, combinando assim as semelhanças e diferenças entre si.[11] Jogos escolares são extremamente ricos para a vivência espacial no aluno. Tal capacidade depende essencialmente do desenvolvimento dos órgãos da visão e audição, que fornecem os pontos de referência do corpo, tanto para ele mesmo como para o meio ambiente, além das sensações da cinestesia. A criança elabora o seu sistema de referências, como plano vertical, horizontal, diagonal, entre outros. Noções de distância, localização, formas, tamanho, magnitude e construção de imagem mental surgem nesse aspecto.[4]

→

Orientação temporal	Corresponde à capacidade de relacionar ações a uma determinada dimensão temporal, ou seja, organizar um encadeamento de sucessões de gestos e intervalo de tempo. Espaço e tempo estão interligados, então as ações se desenvolvem em um determinado espaço físico e sequência temporal estruturada, sendo que a orientação temporal é a coordenação da realização dos gestos corporais.[11] Desenvolve diversos tópicos, entre eles: aquisição de noções de antes, durante, depois, sucessão, sequência, simultaneidade, duração, pausa, duração da pausa, estrutura rítmica, velocidade e aceleração. A orientação temporal é evocada e refinada ao mesmo tempo que o mundo espacial da criança se desenvolve.[2] Esse aspecto está mais associado aos órgãos da audição, atuando de forma combinada com as demais. Refere-se à adaptação rítmica e estruturação do tempo.[4] Portanto, essa habilidade está estreitamente relacionada com a interação coordenada dos vários sistemas musculares e das modalidades sensoriais.[2]
Coordenação motora global	A coordenação global envolve movimentos que usam, ao mesmo tempo, vários segmentos corporais para realizar uma determinada tarefa.[11] Pode ser conceituada como a ação simultânea de grupos musculares diferentes para executar movimentos amplos e voluntários, podendo ou não ser complexos. O desenvolvimento da coordenação global leva à realização da dissociação de movimentos mais complexos e envolve individualizar dois ou mais segmentos corporais ao mesmo tempo. Situações diversas que apresentam a elaboração de gestos complexos surgem na participação da criança em jogos pré-desportivos. Os movimentos que envolvem a coordenação motora servem de base para um importante aprendizado sensório-motor. É viabilizada a assimilação de movimentos novos ou mais complexos, desde que sejam vivenciadas experiências anteriores com graus de dificuldades diversificados.[4]
Coordenação motora fina	Significa trabalhar de forma ordenada pequenos grupos musculares. Capacidade de controlar pequenos grupos para exercícios delicados e precisos. Está relacionada à coordenação óculo-manual, englobando atividades das mãos, dedos e olhos.
Ritmo	É a parte que constitui a orientação temporal e a estruturação espacial, que pode ser definida como a ordenação específica de um ato motor com característica temporal. Envolve noção de ordem, sucessão, duração, intensidade, harmonia, regularidade e alternância.
Equilíbrio	Condição de sustentar o corpo sobre uma base reduzida, tendo noção de distribuição do peso em relação a um espaço e o tempo. Exemplos: estar de pé, girar os braços, girar o tronco, fazer rotações dos segmentos, parada de mãos, parada de cabeça, cambalhotas, roda (estrela), equilíbrio num só pé, se deslocar por uma superfície de pequena amplitude, entre outros. Ao jogar, o indivíduo está em diversas situações de equilibrar, em várias formas e grau de dificuldade. Quanto mais defeituoso é o equilíbrio motor, maior será o gasto energético. Esse aspecto afeta, entre outros, o esquema corporal.[4]

A participação em jogos escolares ou em atividades lúdicas pode influenciar as relações sociais, emocionais, cognitivas e motoras dos alunos. Essa participação implica a formação de personalidade, autonomia e autoconfiança. Na escola, o jogo deverá estar presente em todas as formas de manifestação da cultura corporal e vivência de habilidades motoras e capacidades físicas. O cotidiano da criança na escola é recheado de brincadeira, simbolismo, exploração, convivência e descoberta de acordo com a sua interação com o meio.[11] A Educação Física é o ápice desse quadro da educação básica e, então, acredito com muita convicção que devemos aproveitar isso em aula.

O processo proposto na psicomotricidade aguça a criatividade, evitando assim a mecanização de movimentos, que, por consequência, transformam a criança em um ser automático, exatamente na idade de aprendizagem das destrezas motoras. Nas brincadeiras livres e nas formas naturais de movimento, por exemplo, a criança pode dar vazão à sua necessidade motriz para explorar suas funções em pleno desenvolvimento. O meio organizado e natural lhe fornece subsídios para as suas atividades de exploração da cultura de movimentos, na qual a sua própria imaginação poderá criar as experiências para a vivência motora e para um futuro aperfeiçoamento.[6]

Nas aulas de Educação Física, podemos oferecer tanto os minutos finais para tal atividade de criação quanto o final de cada sequência de exercícios e brincadeiras, e o professor pode desafiar a criança com frases motivadoras, como: "Quem consegue fazer diferente?" ou "Quem consegue fazer algo que ninguém fez ainda?".

As atividades coletivas, como os jogos, exigem além das habilidades específicas, a elaboração e organização de ações segundo regras e estratégias adaptadas.[6]

A relação a seguir (Quadro 4.2) dos eixos temáticos e aspectos (motores, cognitivos e afetivos) que compõem a disciplina é determinante para o bom andamento do trabalho. É importante, ao longo do ano escolar, distribuir de forma equilibrada e coerente esses tópicos.

Quadro 4.2 – Aspectos a serem trabalhados nos conteúdos escolares[2,5,9,10]

Eixos Temáticos	Cognitivos (Conteúdos Conceituais)
Esquema corporal: estrutura corporal, ajuste postural, respiração, relaxamento, tônus da postura e lateralidade. **Estruturação espacial:** coordenação dinâmica geral e específica, apreciação do espaço corporal, localização espacial e reconhecimento do espaço de ação. **Orientação temporal:** aquisição de noções de antes, durante, depois, sucessão, sequência, simultaneidade, duração, pausa, duração da pausa, estrutura rítmica, velocidade e aceleração.	Atenção. Classificação. Comparação. Concentração. Conhecimento. Criatividade. Discriminação auditiva. Discriminação visual. Identificação. Memorização.
Psicomotores (Conteúdos Procedimentais)	**Afetivo-Sociais (Conteúdos Atitudinais)**
Locomoção: andar, correr, saltar, saltitar, rolar, saltar no mesmo pé, galopar, entre outros. É o transporte do corpo de um ponto a outro do espaço. **Manipulação:** arremessar, receber (pés ou mãos), volear, rebater, chutar, driblar (quicar), conduzir, cabecear, passar (com os pés), lançar, tracionar (puxar) e empurrar. Transmitir força a um objeto ou receber força do mesmo. **Estabilização/equilíbrio:** estar de pé, girar os braços, girar o tronco, fazer rotações dos segmentos, parada de mãos, parada de cabeça, cambalhotas, roda (estrela), equilibrar num só pé, se deslocar por uma superfície de pequena amplitude, entre outros. Destaca o ganho ou a manutenção do equilíbrio em situações de movimento estático ou dinâmico. **Coordenação motora global** **Coordenação motora fina** **Ritmo** **Equilíbrio**	Autoconfiança. Autocontrole. Conhecimento de si. Conhecimento dos outros. Cooperação. Disciplina. Esforço para se superar. Espírito de equipe. Organização. Participação. Respeito a si. Respeito aos outros. Respeito às normas. Responsabilidade.

A psicomotricidade estuda as relações entre as funções motoras, cognitivas e afetivas por meio, principalmente, do movimento. O desenvolvimento cognitivo do aluno tem uma estreita relação com o brincar, já que a psicomotricidade se encontra em menores gestos e em todas as atividades que trabalham a motricidade, ou seja, o desenvolvimento motor em si. Essa ciência é de suma importância na prevenção de problemas de aprendizagem e na melhora de aspectos como a lateralidade, o ritmo, os esquemas corporais e o tônus da postura.[8]

É indispensável fornecermos uma grande quantidade de atividades que estimulem as crianças, fazendo com que tenham oportunidades de desenvolver e exercitar seu comportamento, seja nas áreas para as quais dispõem de facilidade (predisposição ou vivências anteriores), seja naquelas em que têm maior dificuldade (são menos dotadas ou têm menos vivência motora).[1]

Respeitar a individualidade, as diferenças pessoais, o acervo motor, o desenvolvimento e a faixa etária de cada um é essencial, e o professor deve levar esses aspectos em conta na sua observação e administração das atividades, bem como na cobrança que faz dos alunos. A Figura 4.1 mostra os elementos necessários para que se chegue aos pontos propostos na citação dos autores.

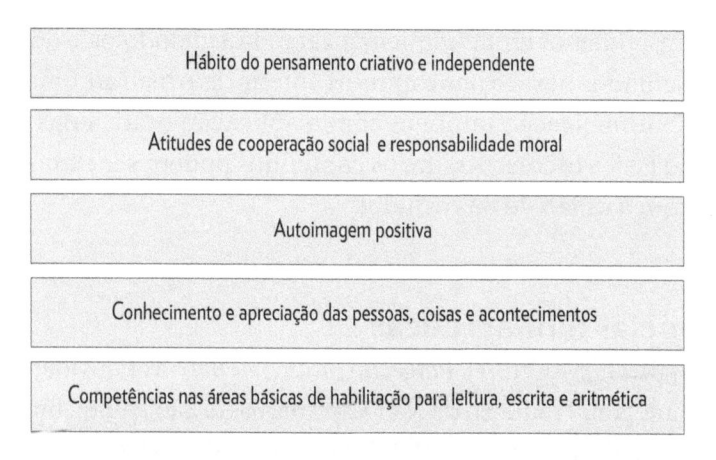

> Hábito do pensamento criativo e independente
>
> Atitudes de cooperação social e responsabilidade moral
>
> Autoimagem positiva
>
> Conhecimento e apreciação das pessoas, coisas e acontecimentos
>
> Competências nas áreas básicas de habilitação para leitura, escrita e aritmética

Figura 4.1 – Fatores a serem desenvolvidos pelos princípios fundamentais de uma escola para o pensamento.[1]

A teoria piagetiana derruba a ideia tradicional, que prega a distinção entre atividades cognitivas e motoras, de forma que elas sejam trabalhadas de maneira isolada. O mover-se e o pensar são interdependentes e estão interligados. Para o estudioso, algumas crianças realizam tarefas acadêmicas de forma insatisfatória por não dominar o controle de movimento que tais habilidades exigem, e não puramente devido aos pontos cognitivos envolvidos.[1] A centralização dos fundamentos da psicomotricidade está nesse pensamento.

Para a psicomotricidade, o desenvolvimento só se dá ao utilizarmos como pré-requisito a aquisição de conteúdos cognitivos, promovendo o deslocamento da educação *do* movimento para a educação *pelo* movimento (Bracht, 1992).[3]

A participação ativa da criança na atividade em grupo de forma verdadeiramente engajada não é consolidada somente mediante o aspecto ou ação motora, mas sim por meio dos aspectos cognitivos e afetivos, ou seja, a partir de todas as competências psicomotoras.[6]

Entender, então, essa ciência, será com certeza a ação plausível para efetuar o desdobramento do grande embaraço que temos em mãos diante do quadro atual do processo educativo. Chegar a algumas conclusões e encontrar soluções cabíveis é uma meta com a qual sonhamos, propomos e por vezes conseguimos.

Por fim, podemos tentar esquematizar toda a metodologia dos conceitos apresentados neste e nos capítulos anteriores e realizar uma relação, buscando uma ligação também com a aplicação prática nas aulas de Educação Física escolar. Assim, os conteúdos podem ser elaborados de acordo com a união de tais estudos.

Referências bibliográficas

1. FURTH, H. G.; WACHS, H. *Piaget na prática escolar:* a criatividade no currículo integral. Tradução de Nair Lacerda. 6. ed. São Paulo: Ibrasa, 1979.
2. GALLAHUE, D. L.; OZMUN, J. C.; GOODWAY, J. D. *Compreendendo o desenvolvimento motor:* bebês, crianças, adolescentes e adultos. Tradução de Denise Regina de Sales. 7. ed. Porto Alegre: AMGH, 2013.
3. GALLARDO, J. S. P. Breve histórico. In: _____. (Coord.). *Educação Física:* contribuições à formação profissional. 3. ed. Ijuí, RS: Ed. Unijuí, 2000.
4. _____. Conteúdos acadêmicos: aspectos biológicos. In: _____. (Coord.). *Educação Física:* contribuições à formação profissional. 3. ed. Ijuí, RS: Ed. Unijuí, 2000.
5. GRABER, K. C.; WOODS, A. M. *Educação Física e atividades para o ensino fundamental.* Porto Alegre: AMGH, 2014.
6. LE BOULCH, J. M. *O corpo na escola no século XXI:* práticas corporais. Tradução de Cristiane Hirata. São Paulo: Phorte, 2008.
7. LIMA, A. *Educação Física:* mais de 400 questões com gabarito comentado. Rio de Janeiro: Elsevier, 2010.

8. MACHADO, J. R. M.; NUNES, M. V. S. *Educação Física na educação infantil*. Rio de Janeiro: Wak Editora, 2012.
9. MATTOS, M. G.; NEIRA, M. G. *Educação Física infantil:* construindo o movimento na escola. 7. ed. São Paulo: Phorte, 2008.
10. NEIRA, M. G. *Educação Física:* desenvolvendo competências. 3. ed. São Paulo: Phorte, 2009.
11. PEREIRA, S. A. M. O movimento na infância: conhecer para intervir. In: PEREIRA, S. A. M.; SOUZA, G. M. C. (Org.). *Educação Física escolar:* elementos para pensar a prática educacional. São Paulo: Phorte, 2011.
12. RAMOS, C. S.; FERNANDES, M. M. A importância de desenvolver a psicomotricidade na infância. *EFDeportes.com* – Revista Digital. Buenos Aires, Argentina, año 15, n. 153, fev. 2011.

- CAPÍTULO 5 -
Conceitos e classificações dos jogos escolares

Ao jogar, uma criança nos transmite, por meio de ações, muitas informações sobre como se comunica, bem como demonstra sua forma de pensar, cabendo ao observador ter o discernimento de avaliar tal fato. Em outras palavras, o participante de um jogo na escola nos dá subsídios para que transformemos as informações, sempre presentes, em dados significativos.[11] Devido à relevância do assunto, neste capítulo procuro apresentar os conceitos e as classificações publicados por diversos pesquisadores, pois acredito que esses estudos direcionam a boa aplicação da atividade nas aulas e oferecem uma ótima condição para que atinjamos objetivos.

No ciclo de aprendizagem das séries iniciais do Ensino Fundamental I, por exemplo, devem ser exploradas as múltiplas experiências motoras nas crianças, envolvendo a diversidade de situações propostas pelas atividades físicas e esportivas, dando especial atenção aos jogos coletivos, com o intuito de trabalhar valores como respeito às regras e à ação coletiva. Nessa fase, é interessante ainda manter o aspecto lúdico tão presente na Educação Infantil, porém sem deixar de usar o suporte educativo que o jogo oferece para trabalhar a experiência moral e as situações psicomotoras e cognitivas do aluno.[10]

Fica evidenciado, então, que o conjunto de ações corporais representa valores e princípios culturais para o ser humano. A Educação Física, sendo um instrumento recreativo, reabilitador ou expressivo, deve ser pensada nesse contexto, a fim de que possamos considerar o homem como sujeito da vida social. Portanto, é importante observar como formamos o cidadão, na forma de cuidar, educar, valorizar, enfim, na forma de representá-lo.[5]

No que diz respeito ao jogo, ele é aplicado na escola de acordo com a faixa etária e, consequentemente, com formas e regras variáveis. A demanda de objetivos é muito grande e envolve muitos conteúdos que estão permanentemente ligados aos alicerces dessa área de atuação. O caráter imprevisível das mais variadas situações dos jogos escolares e a própria necessidade de decisões rápidas exige dos alunos participantes habilidades que muitas vezes não apresentam em exercícios menos complexos e que não envolvem a competividade e disputa do jogo em si.

Para elevar a prática da situação-problema é essencial expor diretamente o aluno no jogo e respeitar a sua liberdade de ação e decisão. Para o participante, o objetivo está, na verdade, diretamente associado ao resultado, então sua postura converge para esse ato.[10]

Além do mais, o jogo é uma atividade extremamente indicada para satisfazer a necessidade de movimento do ser humano, é um conteúdo que representa esforço e conquista, servindo como um importante veículo educacional. É um fenômeno cultural e biológico, constituindo uma atividade alegre, com um sentido, com grande valor afetivo e social, levando a inúmeras possibilidades de desenvolvimento corporal e cognitivo. Ademais, no momento do jogo, o educador pode conhecer as facetas ignoradas da personalidade do aluno e, a partir daí, orientá-lo para combater as atitudes ruins e a falta de valores e, ao mesmo tempo, cultivar e incentivar suas atitudes boas.[13]

5.1 – Brincadeiras e jogos

Considerações sobre jogos e brincadeiras são pertinentes porque são atividades de certa forma similares, mas que apresentam diferenças em determinados conceitos, podendo atingir objetivos distintos. Tais diferenças são notadas claramente (Quadro 5.1).[11]

Enquanto a brincadeira é mais utilizada na Educação Infantil e nos primeiros anos do Ensino Fundamental I, o jogo ocorre a partir dos primeiros anos do Ensino Fundamental I e se estende até o Ensino Médio. Logo, a complexidade de regras, dificuldade de participação e execução de gestos ocorre e evolui naturalmente com o passar dos anos nas aulas de Educação Física. A brincadeira normalmente não apresenta um final previsto, possui regras mais simples e flexíveis, além de não ter obrigatoriamente um vencedor. Já o jogo, independentemente de qual tipo for, apresenta um final previsto, um vencedor e regras mais rígidas. Contudo, não seria equivocado aplicarmos brincadeiras no Ensino Fundamental II e Ensino Médio, nem propormos jogos simples em idades menores.

O importante, aqui, é não deixarmos de respeitar a individualidade e o desenvolvimento do aluno, acompanhando sua produção em aula e entendendo que é louvável ministrar um determinado conteúdo se ele gera elementos satisfatórios em termos de alcance de metas.

Na aplicação de conteúdos voltados para o aspecto lúdico, como são as brincadeiras e vários tipos de jogo, não deverá o educador se perder no sentido de usufruir dos componentes mais flexíveis e não contextualizá-los diante de seu planejamento escolar, bem como perante o seu perfil de linha de pensamento e trabalho. Dessa forma, os alunos jogando ou brincando têm a oportunidade de melhorar os tópicos vistos nos capítulos anteriores, que atendem ao complexo processo de desenvolvimento.

Quadro 5.1 – Distinção entre brincadeira e jogo[11]

Brincadeira	Jogo
Diverte Passa o tempo Utiliza o simbolismo (faz de conta)	Ganha-se Perde-se
As delimitações e regras não são situações necessárias	As delimitações e regras são condições essenciais para a sua realização
Antecede o jogo	Ocorre uma brincadeira organizada e convencional: é a evolução da brincadeira
O resultado é desprezado	O resultado é primordial
É uma necessidade da criança	É uma das possibilidades da criança
Quem brincou sobreviveu (simbolicamente)	Quem jogou jurou (regras, propósitos, entre outros)

5.2 – Tipos de jogo escolar

As classificações auxiliam o melhor entendimento dos conceitos e a consequente aplicação de conteúdos nas aulas. Programar e reprogramar são atitudes que podem estruturar melhor qualquer atividade, desde que haja a compreensão do estudo que está em volta do tema abordado pelo professor.

Nas brincadeiras com regras, atividades que podemos considerar como jogos com menor complexidade, são destacados alguns tópicos a serem desenvolvidos nos alunos, como:[1]

• aproveitamento da criança de um espaço correspondente a movimento e brincadeira, desde que haja materiais adequados e desafiadores para a atividade motora e o próprio aprendizado autônoma;

• estímulo da variação e alteração, com criatividade, que podem ser realizadas pela própria criança;

• ajuda a vivência da conversa, troca de ideias e diálogo equilibrado às necessidades comuns.

O terceiro nível de ensino e aprendizado é considerado o momento em que as regras dos pequenos jogos esportivos são adaptadas mais à estrutura dos grandes jogos. Ao chegarmos à aplicação de um jogo com um complexo de exercícios que ensinam técnica e tática de alguma modalidade, aperfeiçoamento e estabilização de habilidades anteriormente trabalhadas, dinamismo e variedade próprios para a idade do aluno, estaremos então dentro de um contexto do jogo pré-desportivo.[9] Essa condição atende a definição de jogo pré-desportivo apresentada nesta obra.

Nessa conceituação deve haver uma modificação adequada para configurar o jogo de "complexo", pois para ele ser um pré-desportivo deve apresentar um grande número de ações de movimento, levando o nível de ensino e de aprendizagem para a satisfatória aquisição de habilidades técnicas e motoras. Os tipos de jogo escolar e as suas peculiaridades (Figura 5.1), distribuídas de acordo com as classificações, devem ser entendidos como um parâmetro importante na administração das aulas.

> **Jogos pré-desportivos:** regras complexas e fixas, envolvem elementos técnicos e táticos de um ou mais esportes. Parecido com o jogo propriamente dito, mas com alguma adaptação (nas regras em geral). Obrigatoriamente deverá haver ao menos um esboço de posicionamento defensivo e/ou ofensivo no decorrer do jogo. Indicados para turmas com alunos de idade igual ou superior a 9-10 anos, ou seja, final do Ensino Fundamental I.

> **Jogos recreativos:** ocorre uma disputa, há um vencedor, porém com regras flexíveis e simples, predominando a diversão sobre a competição. Indicados para turmas compostas por crianças mais novas.

> **Jogos de regras:** normas mais complexas e fixas, envolve mais conceitos, e a competição sobrepõe a diversão. Pode ou não ter fundamento tático ou técnico esportivo específico.

> **Jogos simbólicos:** representação, símbolos, jogo de encenar, jogo do faz de conta, atividade de grande imaginação e criatividade. Nesta fase tudo para a criança é válido e muito interessante e desafiador. Todos ganham e todos brincam. Extremamente indicados para a Educação Infantil.

> **Jogos de construção:** podendo ser baseado em algum jogo conhecido ou não, haverá a criação dos alunos em relação às regras e normas. Construir, criar e inovar são as principais regras. Tópicos voltados para autonomia, trabalho em equipe e integração são interessantes.

> **Jogos cooperativos:** regras fixas e complexas, mas o intuito é colaborar, pois o grande vencedor é o grupo, sendo que o adversário é na verdade o companheiro de equipe. Muitas vezes o colega que era inicialmente um oponente passa a ser companheiro de equipe. A colaboração vai predominar.

Figura 5.1 – Classificações dos jogos escolares.[6]

Usar um jogo e saber os elementos que o compõem é uma atitude prudente do educador. Outras classificações de jogos (Quadro 5.2) estão apresentadas em larga escala na literatura especializada.

Um jogo pré-desportivo é caracterizado pela participação da criança, quando ela se diverte, mas também se prepara para algum desporto.[14]

O objetivo do jogo cooperativo é criar oportunidades para o aprendizado da cooperação, além de trabalhar a interação cooperativa prazerosa, já que os participantes da atividade devem estar ligados entre si de maneira "interdependente" (Orlick, 1978).[12]

Jogos cooperativos visam promover a interação e a participação de todos os alunos envolvidos na aula, deixando assim aflorar a espontaneidade e a alegria de jogar ou brincar, fazendo com que o participante supere desafios e atue pelo prazer de jogar. O esforço voltado para a cooperação é necessário para atingir um objetivo comum e não para fins mutuamente exclusivos (Brotto, 2002).[12]

Quadro 5.2 – Outras classificações de jogos a serem aplicados na escola

Não motores: sensoriais, intelectuais e de salão. Motores: recreativos e desportivos (preliminares, pré-desportivos, esporte reduzido e esporte propriamente dito).[13]
Cooperativos Criativos Participativos Recreativos[3]

5.3 – Vantagens dos jogos pré-desportivos

Nos tempos atuais, podemos considerar a Educação Física popular, quer dizer, ela é caracterizada por ter elementos que estão inseridos na nossa cultura, como os jogos. Fases anteriores aos anos de 1970 incluíram a Educação Física escolar higienista, militarista, pedagógica e competitiva; porém, as relações entre concepções e práticas cotidianas não são simples ou totalmente fidedignas. Nem sempre as alterações literárias correspondem à efetiva mudança no ato pedagógico do professor na escola. Na maioria das vezes, a prática só se transforma quando a nova abordagem oferece diretrizes que atestam que as demais correntes perderam a hegemonia ou significado.[7]

Contudo, creio que o jogo estará presente no conteúdo escolar, seja qual for a corrente pedagógica, sendo útil e podendo ocorrer com variações, a depender da atuação do professor, para modificar um determinado objetivo a ser alcançado. Nos tempos atuais, dentro de muitas linhas de estudo, o jogo é uma ferramenta para a concretização das propostas com os jovens em idade escolar.

Uma vantagem bastante considerável dos jogos pré-desportivos é sua essência de unir ao mesmo tempo um número elevado de alunos. Dessa forma, ao menos temos a garantia de que podemos trabalhar com um número superior de alunos, se comparado ao número convencional de participantes, de acordo com a regra oficial do esporte. Imaginemos uma sala do 7º ano (turma de 12 a 13 anos de idade) com 36 alunos e o conteúdo da aula sendo o jogo propriamente dito, com regras oficiais, de handebol. Nesse caso, cada equipe seria composta por sete integrantes. Na primeira partida da aula teríamos 14 alunos jogando e seriam necessários três jogos para que todos da turma pudessem efetivamente jogar naquela aula. Já na aplicação de um jogo pré-desportivo direcionado ao próprio handebol, poderíamos ter 12 alunos em cada equipe, com 24 jogando ao mesmo tempo e, nessa situação, duas partidas seriam suficientes para que todos efetivamente participassem da atividade.

Colocar de forma simultânea uma quantidade maior de alunos participando de alguma atividade favorece o trabalho de participação e envolvimento dos alunos, sobretudo com turmas mais numerosas, e a solução de falta de espaço ou de recursos, que são questões rotineiras nas escolas para os professores de Educação Física, bem como para todos os demais colegas de outras áreas.

O considerável quadro positivo desse contexto apresentado ganha maior significado quando lembro que o aluno em desenvolvimento é o aluno em movimento. Logo, evitando que o aluno fique sentado ou parado durante a aula, reforço a ideia de estímulo constante da prática da vivência corporal e potencialização da cultura de movimento.

O jogo pré-desportivo ou de qualquer outra classificação leva a benefícios vitais para as crianças e adolescentes, potencializando dessa forma a sua real evolução motora, cognitiva e afetiva. O simbolismo do aluno com a bola e a prática do jogo em si na escola (Figura 5.2) são importantes para que o professor atinja o objetivo de estimular a prática da atividade física, assim como a vivência corporal proposta por meio desse exercício, que concretiza a perspectiva inicial escrita no planejamento do componente curricular, quer dizer, concretiza a busca pelo desenvolvimento de seus aprendizes.

Em resumo, percebo uma enorme vantagem em utilizar os jogos pré-desportivos nas aulas, uma vez que o ensino lúdico atende o propósito da Educação Física, ao mesmo tempo que busca instigar a criatividade do aluno por meio de uma postura produtiva e, assim, cria uma cultura adequada à situação, tanto no universo de trabalho quanto no de lazer.[4]

> A criança jogando na escola é a criança em pleno desenvolvimento motor. A prática regular dos jogos pré-desportivos contribui para alcançar este objetivo.

Figura 5.2 – A criança com uma bola é o simbolismo dela atuando nos jogos escolares. Esta ação, em conjunto com outros fatores da Educação Física, pode fazer com que o praticante chegue ao maior potencial de suas habilidades físicas.

Quanto mais rígidas são as regras dos jogos, e no caso dos pré-desportivos isso pode ser destacado, maior é a exigência de atenção do participante e de regulação da sua própria vontade, tornando o jogo mais difícil e tenso.[4] Essa dinâmica parece ser inicialmente complicada, mas pode ser traduzida em condição favorável desde que o condutor da atividade explore momentos oportunos para modificar as tarefas propostas nos jogos em questão.

Realizando um bom trabalho e com a devida atenção, é possível solucionar problemas e chegar a bons frutos na aplicação dos jogos pré-desportivos, levando a um balancete positivo ao final do cronograma escolar.

5.4 – Jogos para a saúde

Não podemos deixar de lado uma temática que está em destaque nos tempos modernos: a busca do corpo saudável, da boa atitude e do bom hábito alimentar, entre outros tópicos que estão relacionados a esse fenômeno da sociedade contemporânea.

Para que os jogos sejam capazes de gerar um eficaz programa voltado para a saúde, os seguintes elementos devem estar presentes:[8]

• Competição: não colocar tanta ênfase na vitória e jamais excluir participantes.

• Cooperação: é agradável que os participantes solucionem problemas juntos no decorrer do jogo.

• Prazer: exige o equilíbrio entre cooperar e competir, dentro de um ambiente em que é possível todos participarem, vencerem ou serem vencidos.

• Inclusão: ponto-chave do jogo escolar, faz com que todos participem, e isto pode implicar alterações nas regras.

• Habilidade: em alguns jogos são necessários certos níveis de habilidade, seja de manipulação, seja de locomoção, que podem ser ensinados como parte de um programa (sequência) de aulas.

• Vigor: a prática do jogo deve levar o aluno a se manter ativo fisicamente. A faixa da frequência cardíaca pode ser um indicativo.

Benefícios fisiológicos podem ser notados em pessoas (adultas) ativas, ou seja, que praticam atividade física de forma regular e com certo grau de intensidade e frequência. Se durante a infância e adolescência a pessoa se manteve ativa e praticante de atividades físicas, entre elas na Educação Física escolar, a chance de ela se tornar um adulto ativo é maior.

Fatores como a diminuição de gordura abdominal total, redução da circunferência abdominal, melhora da capacidade do sistema cardiovascular, fortalecimento do músculo cardíaco, auxílio no emagrecimento, aumento da capacidade de oxidar (utilizar) moléculas de gordura, redução das taxas de lipídeos totais do organismo, elevação da capacidade neural, potencialização da ação do sistema cardiorrespiratório, regulação hormonal, aumento da força muscular e outros são tópicos que estão presentes em diversas listagens dos ganhos ao corpo para quem é adepto do exercício físico.[2]

Na escola, devemos observar essa temática e considerá-la sempre que aplicarmos os diversos conteúdos, pois uma correta e completa atitude no momento de exercer essa profissão será efetivamente concreta se houver o devido estímulo ao aluno de agora, que será o adulto do futuro. Esse cidadão está em nossas mãos em várias situações, e somos realmente importantes em sua vida, influenciando inclusive a sua ação voltada para a saúde, prevenção de doenças e adoção de hábitos saudáveis.

Os jogos mais vigorosos costumam ser compostos por rápidas mudanças de direção, momentos de alta intensidade e alternância de parada e reinício. Fatores como o espaço físico, o número de participantes e o equipamento devem ser considerados no momento de selecionar o jogo a ser aplicado. O condutor da atividade deve enfatizar a segurança e modificar as regras do jogo assim que perceber que não está funcionando bem. É fundamental também oferecer diversas opções para praticar a atividade, de modo que os alunos com diferentes níveis de domínio motor possam participar com eficiência.[8]

Os momentos de aula são compostos por atividades simples ou complexas, mas que requerem atenção quanto às questões biológicas. Daí a necessidade de o profissional estar atento ao conceito relacionado e, para isso, deve se reciclar constantemente para, assim, aplicar com segurança na prática os seus conteúdos.

Quando há envolvimento de grupos numerosos de crianças, os jogos devem mudar com maior frequência a fim de prender o interesse de todos e não causar desânimo ou desatenção. As atividades de intensidade alta e baixa devem ser alternadas para evitar a fadiga muscular e psíquica. É preciso estimular os alunos a obedecer ao próprio ritmo, de acordo com a sua condição cardiorrespiratória.[8]

Atividades para o condicionamento físico (Quadro 5.3) auxiliam diretamente nas questões relacionadas à saúde e à qualidade de vida. Como exemplo, podemos ter as movimentações corporais com e sem materiais de Educação Física, os jogos e as brincadeiras, as mais variadas formas de ginástica e os esportes específicos.

A minha experiência na escola me traz a certeza de que, para superar a problemática inerente às condições pedagógicas que temos no processo escolar, é quase uma obrigação o educador estar atualizado. Ele precisa também ter dinamismo para enfrentar a sociedade da atualidade, que se mostra cada vez mais desafiadora e com acesso rápido às informações, que por sua vez são disseminadas de forma imensamente rápida e crítica.

Quadro 5.3 – Atividades e jogos para condicionamento físico[8]

Habilidades e jogos com bolas de diversos tamanhos	Ex: uma bola grande e leve pode substituir uma bola pequena e pesada.	Ex: usar bola de espuma, de tênis, de plástico, de borracha e de esportes alternativos.
Atividades com equipamentos	Ex: utilizar bambolês, raquetes, cordas para pular, pinos, tiras de borracha e discos para arremesso.	
Jogos infantis	Ex: de perseguição (pega-pega e corre-cotia), amarelinha, pular elástico e pick-bandeira.	Revezamentos diversos
Jogos preparatórios para os esportes	Ex: modificar regras para atender às habilidades dos participantes no futebol, basquete, vôlei e handebol.	
Acrobacias e lutas		

> Os jogos e as brincadeiras devem envolver o aluno na sua totalidade motriz, afetiva e cognitiva.

Concluo que o jogo na escola só proporciona bons resultados para a saúde e o desenvolvimento do jovem durante toda a sua permanência na educação básica, sem esquecer que o educador físico é uma figura primordial e decisiva neste tão complexo universo.

Referências bibliográficas

1. BLUMENTHAL, E. *Brincadeiras de movimento para a pré-escola:* uma contribuição para estimular o desenvolvimento de crianças de 3 a 5 anos. Tradução de Reinaldo Guarany. Barueri, SP: Manole, 2005.
2. CARNEVALE JR. et al. Exercícios de alta intensidade e a modulação do metabolismo lipídico no músculo esquelético. In: _____. *Exercício, emagrecimento e intensidade do treinamento:* aspectos fisiológicos e metodológicos. 2. ed. São Paulo: Phorte, 2013.
3. CASTRO, A. *Jogos e brincadeiras para Educação Física:* desenvolvendo a agilidade, a coordenação, o relaxamento, a resistência, a velocidade e a força. Tradução de Guilherme Laurito Summa. 2. ed. Petrópolis, RJ: Vozes, 2014.
4. COLETIVO DE AUTORES. *Metodologia do ensino de educação física.* São Paulo: Cortez, 1992.
5. DAOLIO, J. *Da cultura do corpo.* 17. ed. Campinas, SP: Papirus, 2013. (Coleção Corpo & Motricidade).
6. GALLARDO, J. S. P. *Prática de ensino em educação física:* a criança em movimento. São Paulo: FTD, 2010. (Coleção Teoria e Prática).
7. GHIRALDELLI JUNIOR, P. *Educação Física progressista.* A Pedagogia Crítico-Social dos Conteúdos e a Educação Física Brasileira. 10. ed. São Paulo: Edições Loyola, 2007.
8. HOWLEY, E. T.; FRANKS, B. D. *Manual de condicionamento físico.* Tradução de Denise Regina Sales. 5. ed. Porto Alegre: Artmed, 2008.
9. KOCH, K. *Pequenos jogos esportivos.* 8. ed. Tradução de Reinaldo Guarany. Barueri, SP: Manole, 2005.
10. LE BOULCH, J. M. *O corpo na escola no século XXI:* práticas corporais. Tradução de Cristiane Hirata. São Paulo: Phorte, 2008.
11. MACEDO, L.; PETTY, A. L. S.; PASSOS, N. C. *Os jogos e o lúdico na aprendizagem escolar.* Porto Alegre: Artmed, 2007.
12. MONTEIRO, F. *Educação Física escolar e jogos cooperativos:* uma relação possível. São Paulo: Phorte, 2012.
13. RODRIGUES, M. *Manual teórico-prático de Educação Física infantil.* 9. ed. São Paulo: Ícone, 2011.
14. TEIXEIRA, H. V. *Educação Física e desportos.* Técnicas, táticas, regras e penalidades. São Paulo: Saraiva, 1995.

- CAPÍTULO 6 -
Apresentação e descrição de 35 jogos pré-desportivos

Quadro 6.1 – Jogo pré-desportivo: "Arco móvel"

Número de participantes	12 a 20.
Esporte(s) relacionado(s)	Basquetebol.
Aspectos trabalhados	Estrutura corporal. Coordenação dinâmica geral. Velocidade. Correr e saltar. Arremessar, lançar, receber e driblar. Estar de pé. Equilíbrio. Identificação, conhecimento e atenção. Autocontrole, disciplina, cooperação e responsabilidade.
Faixa etária	11 anos em diante.
Descrição/ Regras	Um jogador de cada equipe fica segurando um bambolê na posição horizontal (à frente do tronco). Ao sinal, os alunos trocam passes do basquetebol, podendo bater bola, com a marcação dos adversários que tentam tomar a posse de bola. Os alunos que estão segurando os bambolês podem se movimentar livremente, e o objetivo é acertar a bola dentro do seu bambolê correspondente. Segue-se a marcação normal do basquetebol, bem como as infrações.
Variações	Limitar o espaço de movimentação do aluno que está com o "arco móvel". Restringir um espaço específico do aluno com bambolê (garrafão, por exemplo) e impedir que os demais participantes entrem nesse local. Aplicar o jogo com duas bolas ao mesmo tempo. Aplicar o jogo com quatro arcos simultaneamente, sendo dois para cada equipe.
Comentários gerais	Estimular o arremesso para o colega que está segurando o bambolê durante o jogo, evitando que a equipe troque passes sem finalizar a jogada. Observar se há muita dificuldade para marcar o ponto e modificar a regra do posicionamento e restrição para o aluno com o bambolê. Conversar com o grupo em relação ao trabalho em equipe.

> Em todos os jogos propostos neste capítulo tem-se a ideia inicial de duas equipes participando ao mesmo tempo. Todavia, em nenhum momento é vedado ao professor conduzir de forma diferenciada, por exemplo, colocando três ou mais equipes jogando de maneira simultânea. Essa ação pode tornar o conteúdo mais dinâmico e atrativo para o aluno. Outra vantagem é a condição de colocar um maior número de alunos participando ao mesmo tempo, evitando assim que fiquem ociosos durante a aula.
>
> Além disso, em termos de estratégia, o profissional poderá formar dois grupos (principalmente em turmas numerosas) para que um deles trabalhe o jogo e o outro trabalhe fundamentos técnicos do esporte relacionado ao pré-desportivo em destaque.

Quadro 6.2 – Jogo pré-desportivo: "Base 4 handebol"

Número de participantes	12 a 20.
Esporte(s) relacionado(s)	Handebol.
Aspectos trabalhados	Respiração e relaxamento. Reconhecimento do espaço de ação. Velocidade e noção de duração. Correr. Lançar, receber, chutar e arremessar. Coordenação motora global. Ritmo. Equilíbrio. Concentração, discriminação visual e comparação. Autoconfiança, espírito de equipe, organização e participação.
Faixa etária	10 anos em diante.
Descrição/ Regras	Uma das equipes chutará (um aluno por vez) e a outra equipe estará espalhada pela quadra (para pegar a bola), sendo que esta terá um aluno em cada base, marcada por um cone, e eles deverão trocar passes, seguindo a ordem numérica das bases, após os demais alunos pegarem a bola e lançarem-na para o integrante da base 1. Quando a bola chegar na base 4, o aluno desta deverá lançar a bola para um colega de equipe, que por sua vez tentará marcar o gol como no jogo de handebol (arremessando). Após isso, o aluno da equipe adversária deverá parar de correr. São somados os pontos de acordo com o número de voltas dadas pelo aluno que chutou a bola e correu. Os cones (bases) estarão próximos dos cantos da quadra, formando um retângulo. No gol haverá o goleiro, e um ou dois alunos adversários (do aluno que está correndo) podem compor a barreira à frente da área do goleiro.
Variações	Aumentar o número de bases para seis ou oito. Colocar um ou dois alunos da equipe que está no "chute", com o propósito de interceptar os passes da equipe que está nas bases.
Comentários gerais	É um jogo extremamente dinâmico e o professor deve se ater ao fato da corrida intensa que o aluno faz e, se necessário, diminuir o espaço da corrida, diminuindo a distância entre os cones. A troca de passes que ocorre no jogo leva a um importante desenvolvimento de habilidades manipulativas.

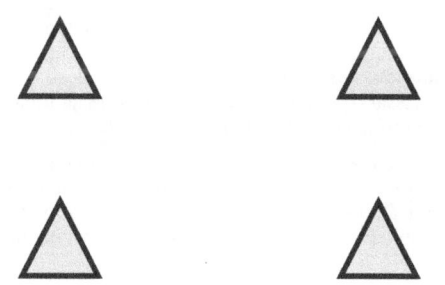

Figura 6.1 – Disposição do "Base 4 handebol".

> Não há uma quantidade exata de jogos que uma turma deve ter durante um ano letivo. Os períodos a serem aplicados os jogos pré-desportivos e seu volume, bem como o tempo que devem durar em cada aula, vão oscilar e depender da assimilação do grupo, do aproveitamento em si da atividade, da necessidade dos próprios alunos e do professor, de acordo com as estratégias e os conteúdos a serem desenvolvidos. O importante é que esses jogos façam parte do contexto escolar dos jovens que participam da Educação Física.

Quadro 6.3 – Jogo pré-desportivo: "Basquetada"

Número de participantes	10 a 20.
Esporte(s) relacionado(s)	Basquetebol.
Aspectos trabalhados	Estrutura corporal. Reconhecimento do espaço de ação. Correr e saltar. Arremessar, lançar e receber. Estar de pé. Atenção, memorização, criatividade e classificação. Conhecimento de si e dos outros, espírito de equipe, responsabilidade e organização.
Faixa etária	9 anos em diante.
Descrição/ Regras	Combinação de regras do Queimadol com o objetivo do jogo de basquete, que é acertar a bola na cesta, sendo que neste jogo a cesta será um colega do time em cima da cadeira. Portanto, para marcar um ponto, eliminando um adversário (mandando-o para o "coveiro"), o aluno tenta acertar um aluno da outra equipe ou fazer o arremesso para o colega que está em cima da cadeira e atrás da linha de fundo do lado oposto. As demais regras são iguais às do Queimadol. Quando a equipe tiver três ou mais alunos "queimados", estes podem se posicionar nas linhas laterais para queimar ou para lançar ao colega da cadeira (e "fazer a cesta"). Obrigatoriamente, o último ponto será feito (depois que todos da equipe adversária estiverem no "coveiro") com a conversão da "cesta", ou seja, o arremesso para as mãos do colega que está em cima da cadeira. Não é permitido "fazer a cesta" quem estiver na linha de fundo.
Variações	Colocar um aluno que não pode ser "queimado", para que este possa tentar fazer o bloqueio do arremesso dos alunos da equipe adversária. Propor aos alunos sugestões quanto ao uso das linhas da quadra (até qual ponto podem arremessar) e se algum componente pode ter uma nova "vida" ("chance"). Aplicar o jogo com duas bolas em quadra.
Comentários gerais	Estimular o arremesso para o colega que está na cadeira e revezar de aluno nessa função. Evitar que a equipe que converteu a "cesta" escolha sempre o mesmo aluno em primeiro lugar para se deslocar ao "coveiro". As habilidades manipulativas, mais uma vez, são extremamente trabalhadas.

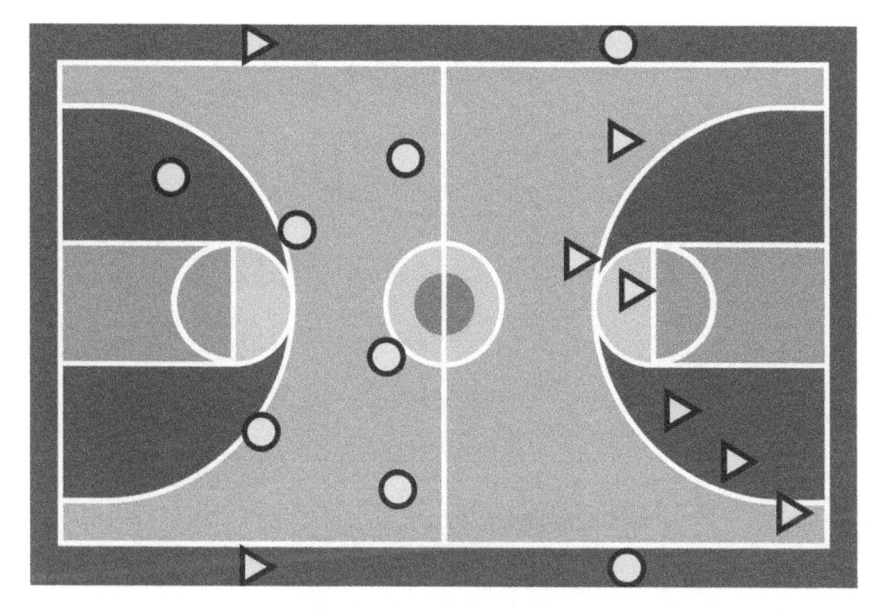

Figura 6.2 – Disposição do "Basquetada".

Quadro 6.4 – Jogo pré-desportivo: "Basquete ataque defesa"

Número de participantes	10 a 20.
Esporte(s) relacionado(s)	Basquetebol.
Aspectos trabalhados	Estrutura corporal. Localização espacial e reconhecimento do espaço de ação. Correr e saltar. Arremessar, receber, driblar e lançar. Comparação, conhecimento e memorização. Autocontrole, respeito às normas e espírito de equipe.
Faixa etária	11 anos em diante.
Descrição/ Regras	Duas equipes, cada uma delas dividida em dois setores (ataque e defesa). Os alunos que estão na defesa não podem fazer ponto nem passar para o ataque (ultrapassar a linha central). Os alunos que estão no ataque não poderão atuar na defesa. Trocar as funções e sempre dividir o grupo de ataque e o grupo de defesa igualmente.
Variações	Tirar o drible se necessário. Executar a terceira rodada do jogo e permitir que os alunos escolham quais e quantos integrantes vão compor os setores.
Comentários gerais	Orientar o grupo quanto ao contato físico e aos cuidados para lesões desnecessárias. A atividade é muito pertinente para trabalhar aspectos psicomotores e eixos temáticos. Fatores afetivos também são desenvolvidos neste pré-desportivo.

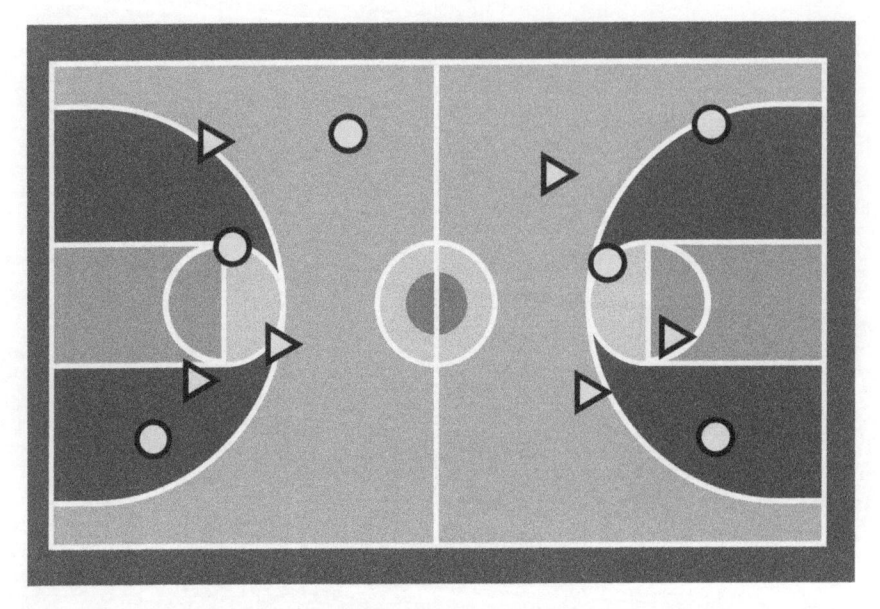

Figura 6.3 – Disposição do "Basquete ataque defesa".

Quadro 6.5 – Jogo pré-desportivo: "Basquete cadeira"[2]

Número de participantes	10 a 20.
Esporte(s) relacionado(s)	Basquetebol.
Aspectos trabalhados	Estrutura corporal. Reconhecimento do espaço de ação. Correr e saltar. Lançar, receber, arremessar e quicar. Estar de pé. Coordenação motora global. Identificação e classificação. Autocontrole, espírito de equipe e respeito aos outros.
Faixa etária	8 anos em diante.
Descrição/ Regras	Uma das equipes inicia o jogo com a bola na linha de fundo, sendo que a equipe adversária não pode ultrapassar a linha central ("marcação meia quadra"), bem como é obrigatório os alunos trocarem passes até que todos toquem na bola. Um aluno de cada equipe ficará em cima da cadeira na linha de fundo da quadra adversária e ninguém poderá entrar nesse setor (área do futsal). O objetivo é, após a equipe ultrapassar o meio da quadra, lançar a bola para o aluno que está na cadeira ("receptor") e, caso este a receba no alto, sem deixar cair e sem sair da cadeira, marcará um ponto. O professor pode limitar o número de passos com a bola na mão (sem quicar) e liberar o número de passos com a bola, desde que esteja quicando.
Variações	Colocar um marcador à frente do "receptor" (dentro da área de futsal), desde que este não toque no próprio ou na cadeira. Também revezar os alunos nessa função.

Comentários gerais	Fazer com que todos possam passar pela posição de "receptor". Prestar atenção no revezamento entre os alunos que fazem o lançamento para o colega que está na cadeira, evitando assim que o mesmo aluno arremesse várias vezes ou que alguns alunos participem do jogo inteiro sem ter dado nenhum arremesso ao "receptor".

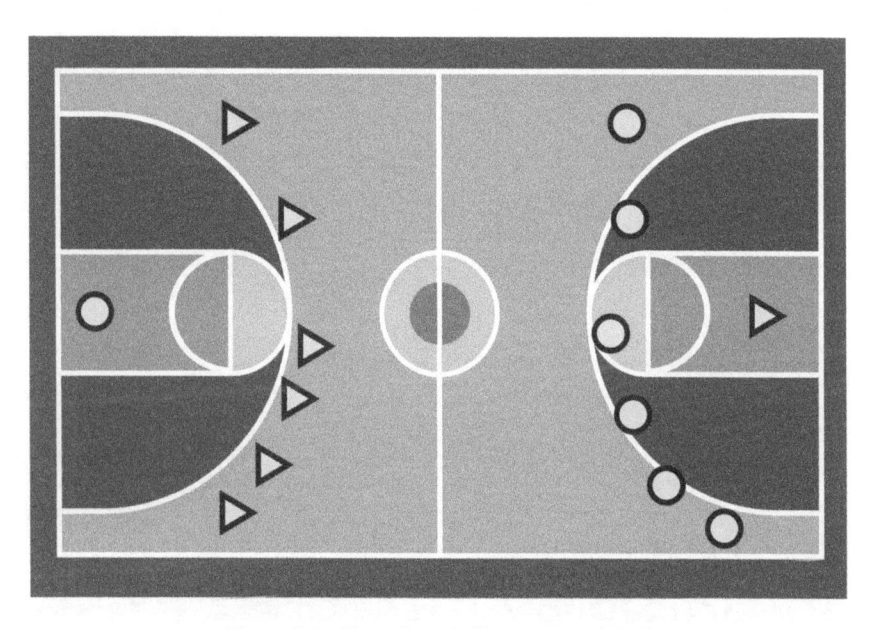

Figura 6.4 – Disposição do "Basquete cadeira".

Quadro 6.6 – Jogo pré-desportivo: "Basquete corredor"

Número de participantes	12 a 24.
Esporte(s) relacionado(s)	Basquetebol.
Aspectos trabalhados	Respiração. Reconhecimento do espaço de ação. Velocidade. Correr e saltar. Arremessar, receber, driblar e lançar. Comparação, conhecimento e discriminação visual. Autocontrole, respeito às normas e espírito de equipe.
Faixa etária	10 anos em diante.
Descrição/ Regras	A equipe é dividida em três turmas, duas delas em cada um dos corredores laterais e a terceira joga pelo corredor central da quadra. A quadra é dividida em três setores (corredores) por cones. Nenhum participante pode invadir o corredor vizinho. Qualquer aluno pode marcar ponto e as demais regras são as mesmas do jogo de basquetebol. Trocar periodicamente as turmas e fazer com que todos os alunos joguem nos três corredores.
Variações	Proibir o drible em um ou dois setores. Executar a quarta rodada do jogo e permitir que os alunos escolham o número de participantes de cada corredor.

Comentários gerais	Enfatizar o trabalho em equipe e comentar sobre a importância de passar a bola para o colega do mesmo setor e também para o colega dos outros setores do jogo. Este jogo, por utilizar a quadra toda para cada participante, pode necessitar de períodos de descanso e/ou alternância entre os alunos. Então, cabe ao professor esta observação no decorrer da atividade. As habilidades manipulativas e locomotoras são muito vivenciadas neste jogo.

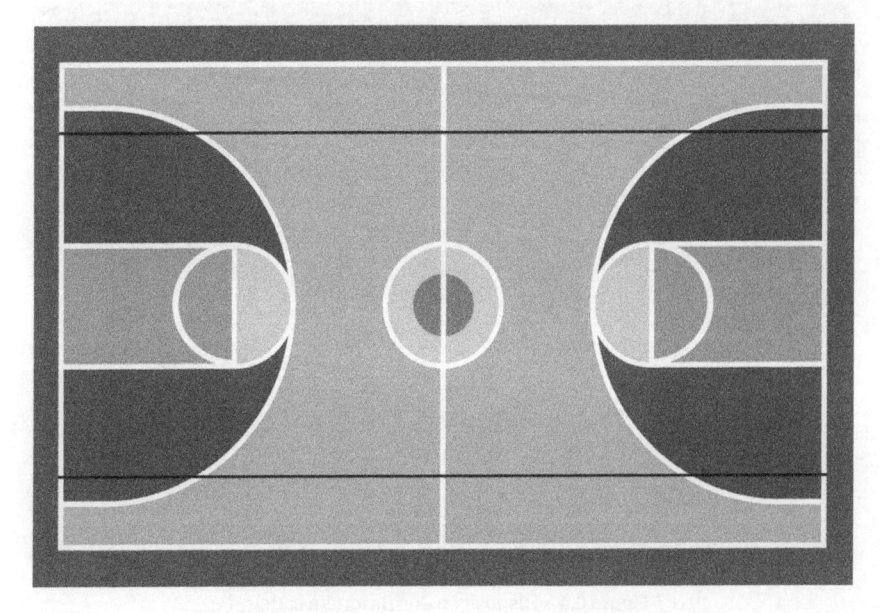

Figura 6.5 – Disposição do "Basquete corredor".

Quadro 6.7 – Jogo pré-desportivo: "Basquete meia quadra"

Número de participantes	10 a 20.
Esporte(s) relacionado(s)	Basquetebol.
Aspectos trabalhados	Localização espacial e reconhecimento do espaço de ação. Correr e saltar. Arremessar, receber, driblar e lançar. Atenção, classificação e memorização. Autocontrole, autoconfiança, respeito às normas e espírito de equipe.
Faixa etária	10 anos em diante.
Descrição/ Regras	Uma das equipes inicia o jogo com a bola na linha de fundo (posse de bola da equipe do lado correspondente), e a equipe adversária, do lado oposto, não pode ultrapassar a linha central ("marcação meia quadra"). É obrigatório que os alunos troquem passes até que todos toquem na bola. O objetivo é, após a equipe ultrapassar o meio da quadra, marcar o ponto (cesta) do basquetebol. O professor pode limitar o número de passos com a bola na mão (sem quicar) e liberar o número de passos com a bola, desde que esteja quicando.

Variações	Inserir a regra de "nunca dois arremessos seguidos", que evita que o mesmo aluno lance a bola para a cesta da equipe adversária em jogadas seguidas de ataque. Se necessário, também retirar o drible quando os alunos estão trocando passes na sua quadra defensiva.
Comentários gerais	Atentar para o fato de que todos os alunos devem arremessar ao menos uma vez para a cesta (se for o caso colocar como regra). Enfatizar o trabalho em equipe e respeito para com as normas. Procurar contextualizar a atividade com o esporte relacionado, mas principalmente enfatizar a importância da prática com a saúde e o incentivo à movimentação corporal. Fatores afetivos podem e devem ser bem explorados na atividade.

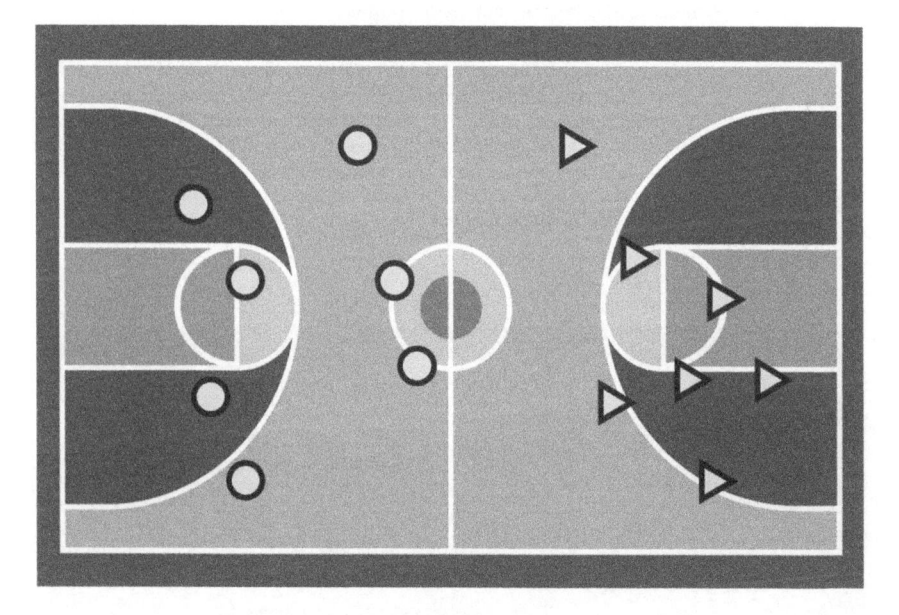

Figura 6.6 – Disposição do "Basquete meia quadra".

Quadro 6.8 – Jogo pré-desportivo: "Basquete por setor"

Número de participantes	12 a 24.
Esporte(s) relacionado(s)	Basquetebol.
Aspectos trabalhados	Localização espacial e reconhecimento do espaço de ação. Correr e saltar. Arremessar, lançar, receber e driblar. Conhecimento, discriminação visual e auditiva. Conhecimento de si e dos outros, cooperação e esforço para se superar.
Faixa etária	11 anos em diante.

Descrição/ Regras	Formar duas equipes, cada uma delas dividida em três setores (ataque, meio e defesa). Os alunos que estão na defesa e no meio não podem fazer ponto. Cada aluno permanece em seu setor, podendo este ser dividido por cones, desta forma: setor de defesa da linha de fundo até a linha de três metros do voleibol; setor do meio entre as linhas de três metros do voleibol; setor de ataque da linha de três metros até a linha de fundo. Trocar as funções e sempre dividir os grupos igualmente. O professor poderá manter as regras oficiais em relação ao drible (manuseio, condução e duas saídas) e às faltas (evitar contato com o aluno de posse de bola).
Variações	Formar quatro setores, dois localizados no centro da quadra, entre os setores de ataque e defesa. Os alunos que estão no ataque e no setor de meio mais próximo da tabela podem marcar pontos.
Comentários gerais	Prestar atenção para que os alunos respeitem as linhas que dividem os setores, trocar as funções (ataque, meio e defesa) por tempo para que todos possam ter iguais oportunidades. De acordo com a necessidade, modificar o número de participantes em cada setor. Sempre enfatizar a importância do trabalho em equipe. Perguntar ao grupo se é interessante ter um aluno que jogue dois ou três setores e se este pode ou não converter pontos para a sua equipe. Comentar com os alunos a respeito das vantagens que o jogo pré-desportivo apresenta para o participante.

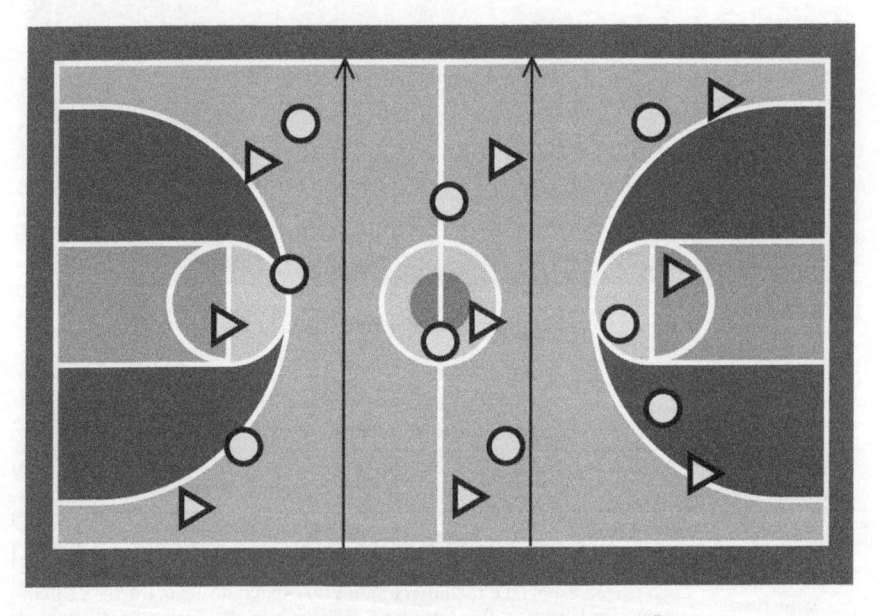

Figura 6.7 – Disposição do "Basquete por setor".

Quadro 6.9 – Jogo pré-desportivo: "Bola aos cantos basquete"

Número de participantes	14 a 24.
Esporte(s) relacionado(s)	Basquetebol.
Aspectos trabalhados	Localização espacial e reconhecimento do espaço de ação. Correr e saltar. Arremessar, lançar, receber e driblar. Conhecimento, atenção, discriminação visual e auditiva. Conhecimento de si e dos outros, cooperação, espírito de equipe e esforço para se superar.
Faixa etária	11 anos em diante.
Descrição/ Regras	Uma das equipes inicia o jogo com a bola na linha de fundo, e a equipe adversária, que está do outro lado, não pode ultrapassar a linha central ("marcação meia quadra"). É obrigatório que os alunos troquem passes até que todos toquem na bola. Dois alunos de cada equipe ficam em cima de cadeiras nos cantos da quadra adversária (marca do arremesso de canto do futsal). O objetivo é, após a equipe ultrapassar o meio da quadra, lançar a bola para algum aluno que esteja na cadeira ("receptor"), e, caso este receba a bola no alto, sem deixar cair e sem sair da cadeira, a equipe marcará um ponto. O professor pode limitar o número de passos com a bola na mão (sem quicar) e liberar o número de passos com a bola, desde que esteja quicando.
Variações	Tentar o arremesso à cesta para converter os pontos do basquetebol.
Comentários gerais	Excelente oportunidade para os alunos vivenciarem as habilidades básicas do basquetebol e desenvolverem os seus aspectos psicomotores.

> Como já apresentado nos capítulos anteriores, os jogos apresentam inúmeros benefícios aos jovens estudantes. A Educação Física usufrui dessa ferramenta para sacramentar o seu papel de disciplina que procura estimular a aprendizagem por meio do movimento e das interações sociais que acontecem na ação dos conteúdos, em especial nos jogos. A versatilidade, o dinamismo e a presença constante do desafio fazem desses citados elementos uma importante peça do repertório do educador físico, sendo que, devido ao caráter cativante e prazeroso, podem os aprendizes estar em desenvolvimento e aprendizagem quando jogam e se envolvem na atividade, e o profissional, por sua vez, também tem a oportunidade de atender plenamente aos seus anseios de ensinar e modificar atitudes de um cidadão que será entregue à sociedade após a sua conclusão da educação básica.

Quadro 6.10 – Jogo pré-desportivo: "Bola aos círculos basquete"

Número de participantes	16 a 24.
Esporte(s) relacionado(s)	Basquetebol.

Aspectos trabalhados	Estrutura corporal. Reconhecimento do espaço de ação. Correr e saltar. Arremessar, lançar, receber e driblar. Equilíbrio. Identificação e classificação. Autocontrole, respeito às normas e cooperação.
Faixa etária	10 anos em diante.
Descrição/ Regras	O professor precisa, antes do início do pré-desportivo, desenhar círculos no chão ou distribuir bambolês pelo espaço. Os participantes que estão no ataque ficam na área limitada (círculo ou bambolê) e não podem sair. Os alunos que estão na defesa jogam na meia quadra respectiva e não podem passar a linha central. Os defensores não podem invadir as áreas restritas em que estão os atacantes. Trocar as funções no meio do jogo. Demais regras do jogo de basquetebol.
Variações	No garrafão do basquetebol colocar um ou dois atacantes, e nenhum defensor pode entrar nesse setor. Proibir o drible para os jogadores que estão na defesa. Realizar a terceira rodada do jogo e permitir que a equipe escolha quantos e quais participantes vão para o ataque.
Comentários gerais	Devido à dificuldade que os alunos que estão no ataque têm no decorrer da atividade, se faz necessário colocar um número maior de atacantes do que defensores em cada setor; por exemplo, equipe com doze integrantes, distribuir sete atacantes e cinco defensores. Reforçar a regra da invasão do defensor no círculo ou bambolê e evitar que o atacante fique muito tempo com a bola na mão, sendo que para isso o professor pode utilizar a regra dos cinco segundos do esporte. Excelente jogo para os alunos vivenciarem os fundamentos do basquetebol.

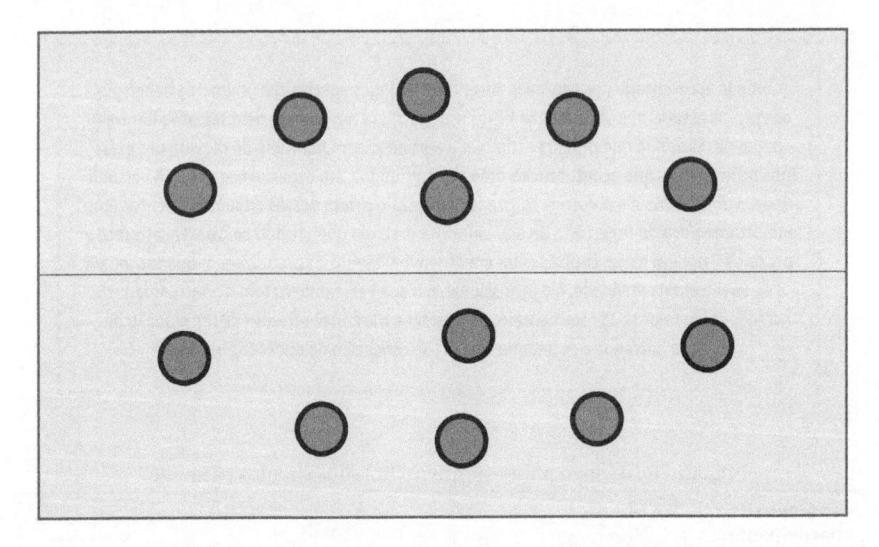

Figura 6.8 – Disposição do "Bola aos círculos basquete".

Quadro 6.11 – Jogo pré-desportivo: "Bola aos círculos handebol"

Número de participantes	16 a 24.
Esporte(s) relacionado(s)	Handebol.
Aspectos trabalhados	Estrutura corporal. Reconhecimento do espaço de ação. Correr e saltar. Arremessar, lançar, receber e driblar. Equilíbrio. Identificação, memorização, criatividade e classificação. Autocontrole, respeito às normas, organização e cooperação.
Faixa etária	10 anos em diante.
Descrição/ Regras	Professor precisa, antes do início do pré-desportivo, desenhar círculos no chão ou distribuir bambolês pelo espaço. Os participantes que estão no ataque ficam na área limitada (círculo ou bambolê) e não podem sair. Os alunos que estão na defesa jogam na meia quadra respectiva e não podem passar a linha central. Os defensores não podem invadir as áreas restritas que estão os atacantes. Trocar as funções no meio do jogo. Demais regras do jogo de handebol.
Variações	À frente da área do goleiro do handebol, colocar um ou dois atacantes, e nenhum defensor pode entrar nesse setor (entre linha da área e linha de nove metros). Proibir o drible para os jogadores que estão na defesa. Realizar a terceira rodada do jogo e permitir que a equipe escolha quantos e quais participantes vão para o ataque. Desafiar os alunos a pensarem na criação de regras quanto ao tiro de sete metros.
Comentários gerais	Devido à dificuldade que os alunos que estão no ataque têm no decorrer da atividade, se faz necessário colocar um número maior de atacantes do que defensores em cada setor; por exemplo, em equipe com doze integrantes, distribui sete atacantes e cinco defensores. Reforçar a regra da invasão do defensor no círculo ou bambolê e evitar que o atacante fique muito tempo com a bola na mão, sendo que para isso o professor pode utilizar a regra dos três segundos do esporte. Jogo muito útil para os alunos vivenciarem as habilidades básicas do handebol.

> A aplicação de qualquer jogo pré-desportivo pode ocorrer em diversos momentos da aula. No meio ou no final da aula, bem como após a execução de fundamentos técnicos por parte dos alunos, ou até mesmo após um aquecimento. A vivência de habilidades motoras e manipulativas trabalhadas numa parte inicial da aula não precisa estar necessariamente direcionada ao jogo usado na mesma aula, assim como o esporte desenvolvido nesse jogo não necessita estar diretamente relacionado ao conteúdo aplicado na fase anterior da aula em questão. Podemos também aplicar na mesma aula um jogo pré-desportivo e o esporte propriamente dito, sendo estes voltados ou não para a mesma modalidade.

Quadro 6.12 – Jogo pré-desportivo: "Bola cruzada hand"[3,4]

Número de participantes	14 a 24 alunos.
Esporte(s) relacionado(s)	Handebol.

Aspectos trabalhados	Lateralidade. Arremessar, lançar e receber. Equilíbrio. Atenção e classificação. Autocontrole, respeito às normas e organização.
Faixa etária	10 anos em diante.
Descrição/ Regras	Marcar no chão (usando bambolês) duas fileiras de círculos em sequência, da área defensiva até a área ofensiva (deverão estar a uma distância de um metro entre si). Os alunos estarão espalhados nas fileiras, distanciadas por três metros entre si, de forma alternada. Cada meta terá um goleiro e a bola vai sair com o último de cada fileira, ou seja, além de usar as bolas simultaneamente, o sentido que cada bola vai seguir é um oposto ao outro, assim como os passes, que serão cruzados (diagonal). Marcará o ponto a equipe que primeiro marcar o gol, desde que a bola tenha passado por todos os integrantes e na sequência correta. Após a conclusão da jogada das equipes, e caso ninguém tenha feito o tento, começa-se uma nova jogada e os integrantes trocam de lugar (avançar uma casa para a frente e o aluno que arremessou será o último da equipe).
Variações	Acrescer barreira com dois jogadores à frente do primeiro da coluna (último a receber a bola cruzada que vem do fundo), e este tenta o arremesso para o gol, sem entrar na área.
Comentários gerais	Orientar os alunos sobre o fato de ter duas bolas em movimento, de sentidos opostos, e que eles estão recebendo e passando para o companheiro.

Quadro 6.13 – Jogo pré-desportivo: "Eliminar o círculo"[6]

Número de participantes	10 a 24 alunos.
Esporte(s) relacionado(s)	Handebol.
Aspectos trabalhados	Lateralidade. Localização espacial. Correr. Arremessar, lançar, receber e quicar. Equilíbrio. Identificação, atenção, discriminação visual e auditiva. Autocontrole, responsabilidade, respeito aos outros e organização.
Faixa etária	10 anos em diante.
Descrição/ Regras	Usar uma bola leve (de plástico ou borracha) e considerar as regras do handebol (infrações, número de passos etc.). Um aluno inicia no círculo do garrafão do basquetebol e poderá se movimentar (para se esquivar da bola) dentro desse espaço. Os alunos trocam passes para atacar, e o objetivo é acertar o aluno que está no círculo. Ao conseguir esse intuito, a equipe ganha um ponto e obriga o adversário a trocar o aluno do círculo. Vence a equipe que primeiro conseguir fazer o seu adversário colocar todos os seus componentes dentro do círculo.
Variações	Colocar dois alunos no garrafão e somente quando estes saírem do setor (forem atingidos pela bola) é que a equipe põe outros integrantes para fugir da bola. Utilizar duas bolas simultaneamente no jogo.
Comentários gerais	Excelente jogo para os alunos melhorarem o seu acervo motor, vivenciando aspectos psicomotores, bem como desenvolvendo fatores cognitivos e afetivos.

Quadro 6.14 – Jogo pré-desportivo: "Fut com 4 metas"[7]

Número de participantes	14 a 24.
Esporte(s) relacionado(s)	Futsal.
Aspectos trabalhados	Lateralidade. Reconhecimento do espaço de ação. Correr. Receber, chutar, conduzir, cabecear e passar. Equilíbrio. Atenção, conhecimento, discriminação visual e identificação. Cooperação, participação e disciplina.
Faixa etária	11 anos em diante.
Descrição/ Regras	As regras são as mesmas do futsal, porém a equipe pode marcar o seu ponto em qualquer uma das quatro metas espalhadas, que podem ser, por exemplo: uma, a trave normal de jogo, uma próxima do tiro de canto (na linha de fundo) e as outras duas, em cada linha lateral. Todas as metas devem ter goleiros.
Variações	Pontuar de forma diferenciada cada meta. Propor que os alunos escolham os pontos de cada meta. Não informar antes do início do jogo quanto vale cada meta, anotar os pontos feitos e em que local ocorreram e, após o jogo, fazer a somatória de pontos de cada equipe de acordo com os gols feitos.
Comentários gerais	Enfatizar a importância da atenção, respeito às regras, cooperação e espírito de equipe. O professor deve estar atento, pois se trata de um jogo de grande movimentação e dinamismo. Observar se há necessidade de realizar intervalos durante a prática deste jogo.

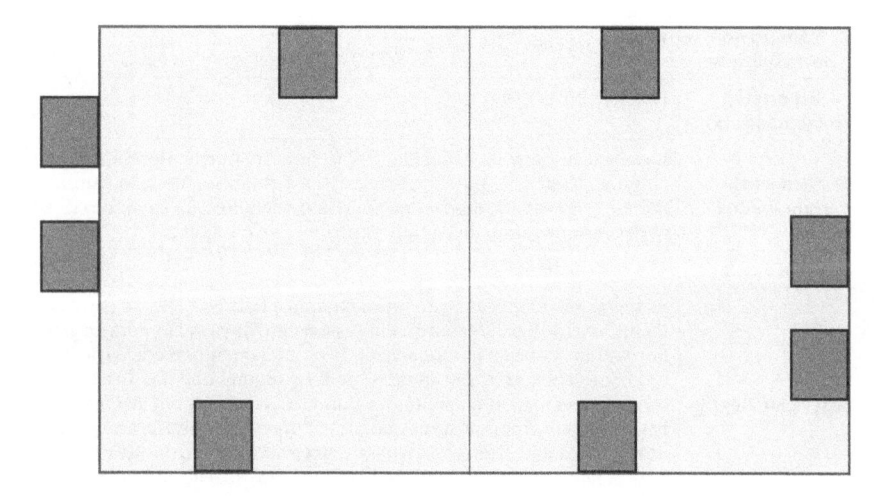

Figura 6.9 – Disposição do "Fut com 4 metas".

Quadro 6.15 – Jogo pré-desportivo: "Fut corredor"

Número de participantes	14 a 24.
Esporte(s) relacionado(s)	Futsal.
Aspectos trabalhados	Localização espacial. Velocidade e aceleração. Correr. Receber, chutar, conduzir, cabecear e passar. Equilíbrio. Atenção, conhecimento, criatividade, discriminação visual e identificação. Cooperação, participação e disciplina.
Faixa etária	10 anos em diante.
Descrição/ Regras	A equipe é dividida em três turmas, duas delas em cada um dos corredores laterais e a terceira joga pelo corredor central da quadra. A quadra é dividida em três setores (corredores) por cones. Nenhum participante pode invadir o corredor vizinho. Qualquer aluno pode marcar gol, e as demais regras são as mesmas do jogo de futsal. Trocar periodicamente as turmas e fazer com que todos os alunos joguem nos três corredores. Revezar também os goleiros.
Variações	Executar a quarta rodada do jogo e permitir que os alunos escolham o número de participantes de cada corredor. Propor aos alunos a criação de regras diferenciadas no intuito de melhorar a participação no jogo.
Comentários gerais	Enfatizar o trabalho em equipe e comentar sobre a importância de passar a bola para o colega do mesmo setor e também para o colega dos outros setores do jogo. Ótimo jogo para a vivência de habilidades do esporte.

Quadro 6.16 – Jogo pré-desportivo: "Futquete"

Número de participantes	12 a 24.
Esporte(s) relacionado(s)	Basquetebol e futsal.
Aspectos trabalhados	Localização espacial. Velocidade e aceleração. Correr. Receber, chutar, conduzir, cabecear, passar e arremessar. Equilíbrio. Atenção, conhecimento, criatividade, discriminação visual, identificação e memorização. Cooperação, espírito de equipe, participação e disciplina.
Faixa etária	11 anos em diante.
Descrição/Regras	As regras são idênticas às do futsal quando a bola está fora do garrafão e idênticas às do basquetebol quando está dentro do garrafão. Fora do garrafão os alunos trocam passes utilizando os fundamentos técnicos do futsal e, quando a bola chega ao garrafão, utilizam os fundamentos do basquete, ou seja, para marcar os pontos os alunos executam algum arremesso do basquetebol, da mesma forma que os defensores que estiverem no garrafão utilizam o rebote defensivo e o passe para evitar o ponto do adversário. Se houver falta no garrafão contra o atacante, deve-se realizar a cobrança de dois lances livres.
Variações	Propor aos alunos a criação de regras diferenciadas no intuito de melhorar a participação no jogo. Inverter os fundamentos e, dessa forma, o ponto (gol) será marcado por meio de fundamentos do futsal, dentro da área do goleiro. Se necessário, separar as equipes em setores, ou seja, ataque e defesa.
Comentários gerais	Enfatizar o trabalho em equipe e comentar sobre a importância de passar a bola para o colega.

Quadro 6.17 – Jogo pré-desportivo: "Handebol ataque defesa"

Número de participantes	12 a 20.
Esporte(s) relacionado(s)	Handebol.
Aspectos trabalhados	Reconhecimento do espaço de ação. Correr e saltar. Arremessar, lançar, receber e quicar. Identificação, discriminação visual e memorização. Conhecimento de si e dos outros, cooperação, autoconfiança, respeito às normas e espírito de equipe.
Faixa etária	10 anos em diante.
Descrição/Regras	Duas equipes, cada uma dividida em dois setores (ataque e defesa). Os alunos que estão na defesa não podem fazer gol nem passar para o ataque (isto é, ultrapassar a linha central). Os alunos que estão no ataque não poderão atuar na defesa. Trocar as funções e sempre dividir o grupo de ataque do grupo de defesa igualmente. Somente os goleiros podem entrar na área.
Variações	Tirar o drible se necessário. Executar a terceira rodada do jogo e permitir que os alunos escolham quais e quantos integrantes vão compor os setores.
Comentários gerais	Orientar o grupo quanto ao contato físico e aos cuidados para lesões desnecessárias. Propor alternativas aos alunos quanto às regras do jogo, por exemplo, uma linha da quadra que possa limitar a marcação da equipe adversária.

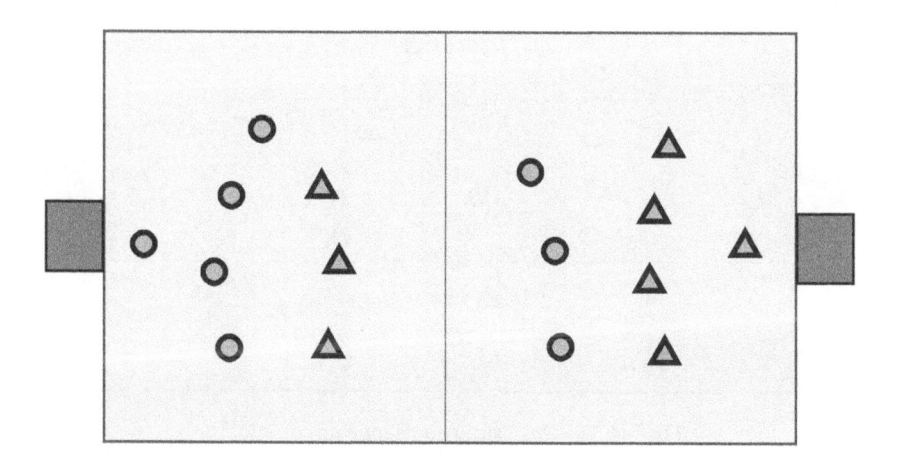

Figura 6.10 – Disposição do "Handebol ataque defesa".

Quadro 6.18 – Jogo pré-desportivo: "Handebol corredor"

Número de participantes	14 a 24.
Esporte(s) relacionado(s)	Handebol.

Aspectos trabalhados	Respiração. Reconhecimento do espaço de ação. Velocidade. Correr e saltar. Arremessar, lançar, receber e quicar. Conhecimento, discriminação visual e memorização. Cooperação, autoconfiança, respeito às normas e espírito de equipe.
Faixa etária	10 anos em diante.
Descrição/Regras	A equipe é dividida em três turmas, duas delas em cada um dos corredores laterais e a terceira joga pelo corredor central da quadra. A quadra é dividida em três setores (corredores) por cones. Nenhum participante pode invadir o corredor vizinho. Qualquer aluno pode marcar um ponto e as demais regras são as mesmas do jogo de handebol. Trocar periodicamente as turmas e fazer com que todos os alunos joguem nos três corredores. Trocar também os goleiros.
Variações	Permitir que os jogadores que estão nos corredores laterais possam entrar na parte respectiva da área do goleiro. Proibir o drible. Executar a quarta rodada do jogo e permitir que os alunos escolham o número de participantes de cada corredor.
Comentários gerais	Enfatizar o trabalho em equipe e comentar sobre a importância de passar a bola para o colega do mesmo setor e também para o colega dos outros setores do jogo. Ótimo pré-desportivo para explorar as habilidades da modalidade.

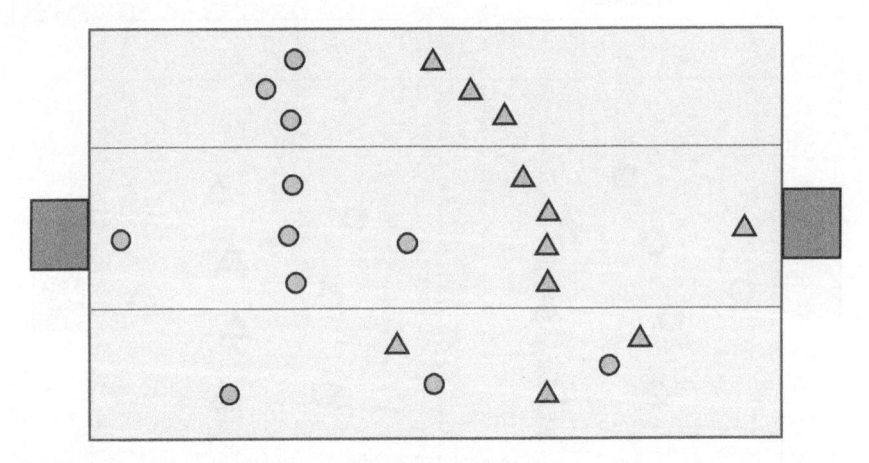

Figura 6.11 – Disposição do "Handebol corredor".

Quadro 6.19 – Jogo pré-desportivo: "Handebol com 4 metas"

Número de participantes	14 a 24.
Esporte(s) relacionado(s)	Handebol.
Aspectos trabalhados	Estrutura corporal e lateralidade. Localização espacial. Correr e saltar. Arremessar, lançar, receber e quicar. Atenção, comparação e discriminação visual. Disciplina, organização e participação.

Faixa etária	11 anos em diante.
Descrição/Regras	As regras são do handebol, porém a equipe pode marcar o seu ponto em qualquer uma das quatro metas espalhadas, que podem ser, por exemplo: uma, a trave normal de jogo, uma próxima do tiro de canto (na linha de fundo) e as outras duas, uma em cada linha lateral. Todas devem ter goleiros e somente estes entram na área.
Variações	Pontuar de forma diferenciada cada meta. Propor que os alunos escolham os pontos de cada meta. Não informar antes do início do jogo quanto vale cada meta, anotar os pontos feitos e o local em que ocorreram. Após o jogo, fazer a somatória de pontos de cada equipe de acordo com os gols feitos.
Comentários gerais	Enfatizar a importância da atenção, respeito às regras, cooperação e espírito de equipe. O professor deve estar atento, pois trata-se de um jogo de grande movimentação e dinamismo.

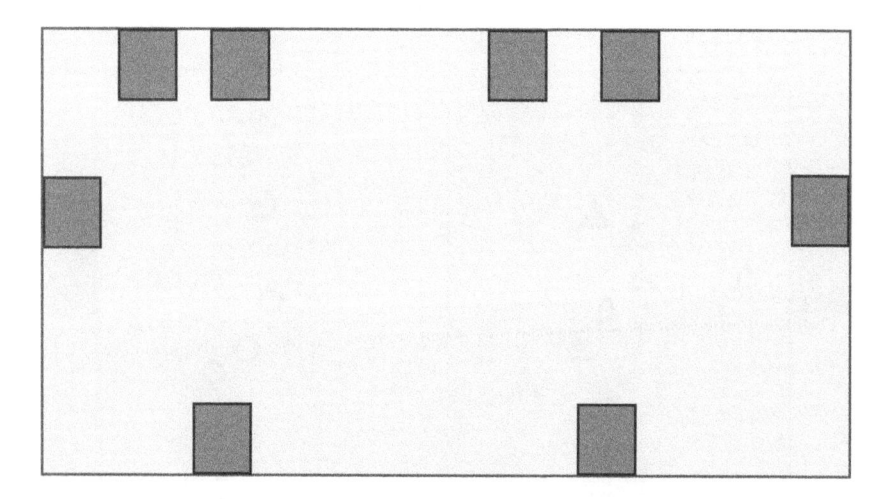

Figura 6.12 – Disposição do "Handebol com 4 metas".

Quadro 6.20 – Jogo pré-desportivo: "Handebol meia quadra"

Número de participantes	10 a 16.
Esporte(s) relacionado(s)	Handebol.
Aspectos trabalhados	Reconhecimento do espaço de ação. Correr e saltar. Arremessar, lançar, receber e quicar. Conhecimento, discriminação visual e memorização. Conhecimento de si e dos outros, cooperação, autoconfiança, respeito às normas e espírito de equipe.
Faixa etária	9 anos em diante.

Descrição/ Regras	Uma das equipes inicia o jogo com a bola na área do goleiro (tendo ele a posse de bola) e a equipe adversária não pode ultrapassar a linha central ("marcação meia quadra"). É obrigatório que os alunos troquem passes até que todos toquem na bola. O objetivo é, após a equipe ultrapassar o meio da quadra, marcar o ponto do handebol. Nenhum jogador, além do goleiro, poderá entrar na área. O professor pode limitar o número de passes com a bola na mão (sem quicar) e liberar o número de passes com a bola, desde que esteja quicando.
Variações	Inserir a regra de "nunca dois arremessos seguidos", que consiste em evitar que o mesmo aluno lance a bola para o gol da equipe adversária em jogadas seguidas de ataque. Se necessário, também retirar o drible quando os alunos estão trocando passes na sua quadra defensiva.
Comentários gerais	Atentar para o fato de todos os alunos arremessarem ao menos uma vez para o gol (se for o caso colocar como regra). Enfatizar o trabalho em equipe e respeito para com as normas.

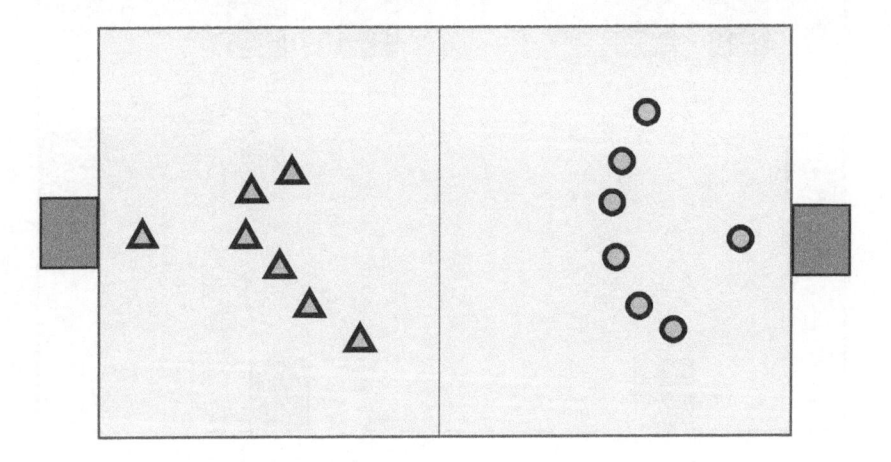

Figura 6.13 – Disposição do "Handebol meia quadra".

Quadro 6.21 – Jogo pré-desportivo: "Handebol por setor"

Número de participantes	12 a 24.
Esporte(s) relacionado(s)	Handebol.
Aspectos trabalhados	Reconhecimento do espaço de ação. Correr e saltar. Arremessar, lançar, receber e quicar. Conhecimento, discriminação visual e memorização. Conhecimento de si e dos outros, cooperação, autoconfiança, respeito às normas e espírito de equipe.
Faixa etária	10 anos em diante.

Descrição/Regras	Duas equipes, cada uma dividida em três setores (ataque, meio e defesa). Os alunos que estão na defesa e no meio não podem fazer gol. Cada aluno permanece em seu setor, podendo este ser dividido por cones, desta forma: setor de defesa da linha de fundo até a linha de três metros do voleibol; setor do meio entre as linhas de três metros do voleibol; setor de ataque da linha de três metros até a linha de fundo. Trocar as funções e sempre dividir os grupos igualmente. O professor poderá inserir regras em relação ao drible (manuseio, condução e duplo drible) e às faltas.
Variações	Formar quatro setores: dois localizados no centro da quadra, dois entre os setores de ataque e defesa. Os alunos que estão no ataque e no setor de meio mais próximo da meta podem marcar pontos.
Comentários gerais	Prestar atenção para que os alunos respeitem as linhas que dividem os setores, trocar as funções (ataque, meio e defesa) por tempo para que todos possam ter oportunidades iguais. De acordo com a necessidade, modificar o número de participantes em cada setor. Sempre enfatizar a importância do trabalho em equipe. Perguntar aos alunos se é interessante colocar um participante que jogue dois ou três setores.

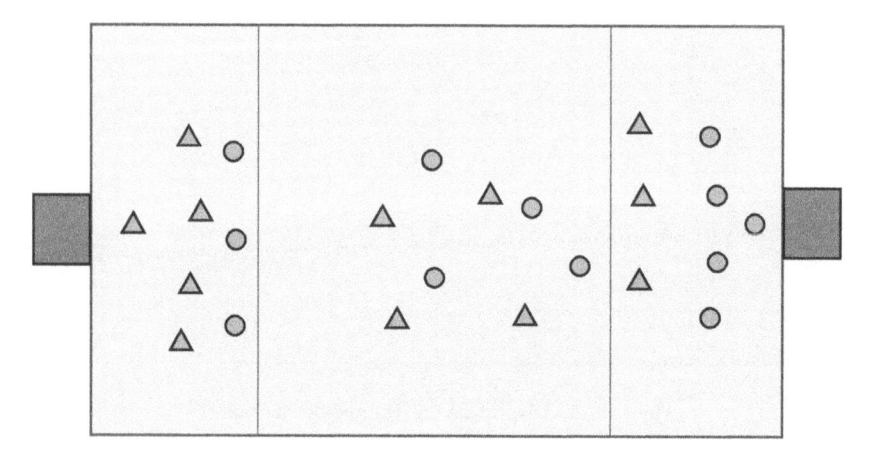

Figura 6.14 – Disposição do "Handebol por setor".

Quadro 6.22 – Jogo pré-desportivo: "Handebol vai e volta"

Número de participantes	10 a 20.
Esporte(s) relacionado(s)	Handebol.
Aspectos trabalhados	Localização espacial e reconhecimento do espaço de ação. Velocidade e aceleração. Correr e saltar. Arremessar e quicar. Classificação, conhecimento, discriminação visual e memorização. Conhecimento de si e dos outros, cooperação, autoconfiança e espírito de equipe.
Faixa etária	10 anos em diante.

Descrição/Regras	Equipes divididas pela linha central da quadra, sendo que apenas um componente inicia em sua meia quadra, e os demais se posicionam atrás da linha de fundo da meia quadra oposta. Nenhum aluno poderá entrar na área do goleiro e os dois alunos que estão dentro da quadra arremessam (não podendo ultrapassar a linha central). Quando conseguirem marcar o gol, um aluno irá para a sua meia quadra; quando completar a equipe na quadra, os alunos começarão a voltar para a linha de fundo (quem fizer o gol é que vai para o fundo). Vencerá a equipe em que todos tenham voltado primeiro para a linha de fundo. O aluno que chega da linha de fundo deverá ser o arremessador da vez (para que todos possam ao menos arremessar uma vez).
Variações	Aumentar o número de rodadas (para vencer, a equipe vai e volta duas vezes).
Comentários gerais	Sempre enfatizar a importância de respeitar as regras e os colegas.

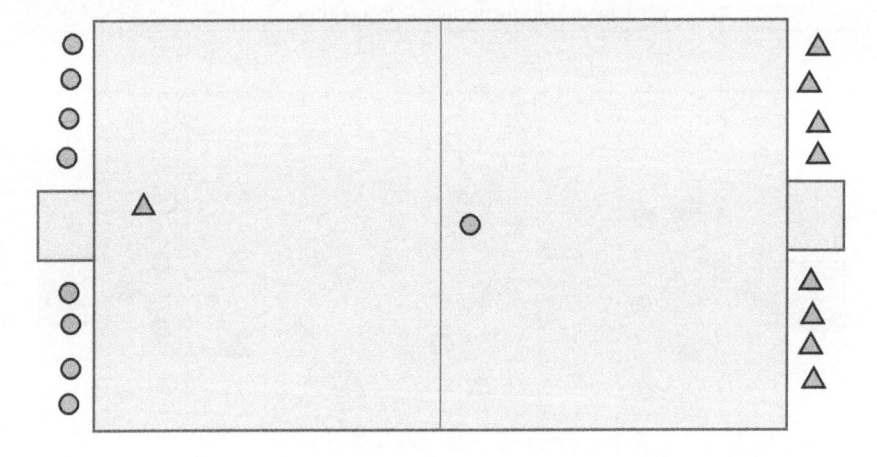

Figura 6.15 – Disposição do "Handebol vai e volta".

Quadro 6.23 – Jogo pré-desportivo: "Handfut"

Número de participantes	12 a 24.
Esporte(s) relacionado(s)	Futsal e handebol.
Aspectos trabalhados	Coordenação dinâmica geral. Correr. Receber, lançar, chutar, passar, quicar, conduzir e cabecear. Equilíbrio. Classificação, conhecimento e discriminação visual. Autocontrole, esforço para se superar e responsabilidade.
Faixa etária	11 anos em diante.

Descrição/ Regras	Combinação das regras dos jogos de futsal e de handebol. As trocas de passes serão feitas com as mãos, podendo bater bola e se deslocar (sem quicar) por três passos. Todos podem entrar na área do goleiro. Para tentar fazer o ponto, o aluno terá que usar os pés (chutar), desde que receba o passe de seu colega de equipe, ou seja, não será válido receber com as mãos e o próprio aluno chutar na sequência. Os alunos podem trocar passes seguidos com os pés, cabeça, ou seja, usando os fundamentos técnicos do futsal, porém a qualquer momento o adversário poderá interceptar usando as mãos.
Variações	Liberar número de passos com a bola na mão e permitir toques seguidos com os pés. Se necessário, impedir que os alunos de linha entrem na área do goleiro. Introduzir a regra de proibição do drible (handebol) e também de tempo máximo com a bola na mão (três segundos). Os alunos podem dominar com a coxa ou peitoral, por exemplo, e na sequência chutar para o gol, porém poderá o professor, se houver necessidade, limitar essa ação a dois ou três seguidos pelo mesmo participante. Dividir as equipes em setores, jogando metade na defesa e a outra metade no ataque, havendo a inversão das funções no decorrer do pré-desportivo.
Comentários gerais	Chamar a atenção do grupo quanto à condição de utilizar as habilidades diferentes no jogo, com as mãos e com os pés, destacando para os alunos menos habilidosos com os movimentos específicos do futsal que eles podem utilizar os elementos manipulativos do lançar e receber com as mãos (handebol). Essa atividade apresenta uma grande intensidade na disputa e caberá ao condutor interferir em sua dinâmica, modificando tempo e número de integrantes por equipe, bem como observar a necessidade de intervalos nas partidas, principalmente em turmas menos numerosas. Estimular os alunos a usar os fundamentos dos dois esportes envolvidos neste jogo, pois pode ocorrer uma predominância de alguma modalidade, e este fato descaracteriza o jogo, que apresenta uma proposta inversa.

> A combinação de elementos de duas ou mais modalidades estimula o aluno, devido ao fato de ser uma atividade desafiadora e diferenciada. Isso é extremamente bem-vindo no contexto do jogo pré-desportivo. Aproveitando este quadro, o professor deve, sempre que possível, oferecer a condição de criação de regras por parte dos alunos.

Quadro 6.24 – Jogo pré-desportivo: "Handvôlei"

Número de participantes	12 a 20.
Esporte(s) relacionado(s)	Handebol e voleibol.
Aspectos trabalhados	Lateralidade. Localização espacial. Saltar e correr. Lançar, receber, volear e rebater. Classificação, criatividade e conhecimento. Espírito de equipe e organização.
Faixa etária	11 anos em diante.

Descrição/ Regras	Combinação das regras do jogo de handebol com os fundamentos técnicos (passes e a cortada) do jogo de voleibol. Os alunos trocam passes pela quadra e batem bola como se faz no handebol, mas, na tentativa de marcar o tento, terão que usar obrigatoriamente algum fundamento técnico do voleibol (recebe a bola, joga para o alto e executa a cortada, por exemplo). Na área, somente o goleiro pode entrar.
Variações	Permitir que os alunos entrem na área. Propor aos alunos a construção de regras quanto ao número mínimo de passes e quantas vezes seguidas um mesmo jogador pode lançar a bola para o gol. Aplicar o jogo com duas bolas simultaneamente.
Comentários gerais	O professor deve aproveitar este jogo pré-desportivo para dialogar com os seus alunos sobre os tópicos relacionados a respeito, organização, cumprimento de normas e sentido de grupo, bem como a limites e superação.

> O jogo pré-desportivo, na sua essência e como objetivo primordial, procura estabelecer um equilíbrio entre as diferenças nas habilidades que existem nos alunos por meio de suas regras adaptadas, por exemplo, indicar um número mínimo de toques na bola da equipe para marcar o ponto. Também é feita muitas vezes a limitação do espaço, como a formação de setores, procurando assim aumentar o caráter coletivo da atividade. Percebo que neste tipo de jogo é reduzida a visível lacuna existente entre determinados participantes. Apesar dessas alterações em relação ao esporte oficial, caberá ao condutor do jogo elaborar estratégias a fim de evitar que os alunos mais habilidosos inibam a ação dos menos habilidosos, sem é claro deixar que os primeiros exerçam suas destrezas de acordo com os seus acervos motores, mas que seja permitida a participação de todos na equipe, caracterizando dessa forma o trabalho coletivo e a oportunidade de desenvolvimento dos aspectos que envolvem o quadro de conteúdos e objetivos da Educação Física escolar.

Quadro 6.25 – Jogo pré-desportivo: "Mão-cabeça-mão-cabeça"

Número de participantes	12 a 20.
Esporte(s) relacionado(s)	Futsal e handebol.
Aspectos trabalhados	Estrutura corporal. Reconhecimento do espaço de ação. Correr e saltar. Arremessar, lançar, receber e cabecear. Coordenação motora global. Equilíbrio. Comparação e memorização. Autoconfiança, respeito às normas, organização e espírito de equipe.
Faixa etária	11 anos em diante.
Descrição/ Regras	O objetivo do jogo é trocar passes, desde que a sequência seja: um aluno lança com a mão, o próximo cabeceia a bola, o próximo segura e lança para o seguinte, que deve tocar com a cabeça, o próximo com a mão, o seguinte com a cabeça, e assim por diante, sendo que a outra equipe tenta interceptar, tomar a posse de bola e realizar o mesmo procedimento. Para fazer o ponto, o aluno deverá usar o arremesso do handebol (sem entrar na área do goleiro).

Variações	Validar também se o ponto for marcado de cabeça. Caso haja muita dificuldade em executar a sequência, solicitar que ao menos uma vez algum componente toque na bola com a cabeça para poder marcar o gol por meio do arremesso do handebol.
Comentários gerais	O jogo apresenta certo grau de dificuldade, então valorizar a cooperação, espírito de equipe e aceitação dos erros dos colegas e de si mesmo.

Quadro 6.26 – Jogo pré-desportivo: "Quatro esportes"[5]

Número de participantes	12 a 24.
Esporte(s) relacionado(s)	Basquetebol, futsal, handebol e voleibol.
Aspectos trabalhados	Estrutura corporal e lateralidade. Coordenação dinâmica geral. Andar, correr e saltar. Manipulação. Estabilização. Memorização, criatividade e atenção. Cooperação, participação, respeito às normas e aos outros.
Faixa etária	11 anos em diante.
Descrição/ Regras	O jogo será contemplado desde que sejam utilizados fundamentos técnicos e/ou táticos das quatro modalidades. As regras seguem o seu respectivo esporte, mas, como em qualquer pré-desportivo, podem ser feitas algumas adaptações.
Variações	No decorrer das aulas é interessante o professor alternar os esportes vivenciados, bem como os elementos táticos e técnicos utilizados. Observar se não há predominância de um ou dois esportes, pois a ideia é a versatilidade do trabalho, assim como a combinação de fatores psicomotores. Mesmo que haja repetição de modalidades é possível alternar as regras adaptadas e os fundamentos táticos e técnicos; desta forma, o jogo já será diferenciado em relação ao anterior aplicado.
Comentários gerais	Propor aos alunos a criação de regras novas para aumentar o dinamismo e a participação de todos neste pré-desportivo. Excelente oportunidade para trabalhar os aspectos manipulativos, locomotores e estabilizadores com o uso das modalidades esportivas. Jogo desafiador para o aluno que participa.

Quadro 6.27 – Jogo pré-desportivo: "Queimadol"

Número de participantes	12 a 20.
Esporte(s) relacionado(s)	Handebol.
Aspectos trabalhados	Lateralidade. Reconhecimento do espaço de ação. Correr. Arremessar. Concentração, discriminação visual e identificação. Esforço para se superar e cooperação.
Faixa etária	11 anos em diante.

Descrição/Regras	O objetivo é acertar algum aluno da equipe adversária ou fazer o gol (usando o arremesso do handebol), não podendo ultrapassar o meio da quadra. Sempre que ocorrer um desses objetivos, um aluno da equipe que sofreu o gol ou que teve alguém "queimado" vai para o "morto" ou "coveiro" (que fica atrás da linha de fundo e ao lado das traves). Quando a bola bate no chão antes de tocar a pessoa, ou quando o aluno consegue segurar a bola, não será considerado "queimado". Designar um aluno para ser o goleiro, e este não pode ser "queimado". Obrigatoriamente para vencer (ao marcar o último ponto), a equipe terá que fazer o tento, pois o goleiro não pode ser queimado. Quem está na linha de fundo não pode fazer gol. Por isso, colocar também o "morto" na linha lateral.
Variações	Propor ao grupo a criação de regras em relação ao goleiro e à área do "coveiro". Aplicar o jogo com duas bolas em quadra.
Comentários gerais	Trabalhar o rodízio dos alunos que tentam fazer o arremesso, introduzir uma troca mínima de passes e orientar quanto à opção de fazer o ponto do handebol, além da tentativa de acertar algum oponente.

Quadro 6.28 – Jogo pré-desportivo: "Queimadol passes"

Número de participantes	12 a 20.
Esporte(s) relacionado(s)	Handebol.
Aspectos trabalhados	Lateralidade. Reconhecimento do espaço de ação. Correr. Arremessar, lançar e receber. Concentração, discriminação visual e identificação. Esforço para se superar, organização, participação e cooperação.
Faixa etária	11 anos em diante.
Descrição/Regras	Mesmas regras do jogo "Queimadol", porém a equipe deve trocar um número mínimo de passes (preestabelecido) para algum aluno tentar arremessar para acertar alguém ou fazer o gol do handebol. Importante colocar ao menos um número de passes que atinja 50% do número de integrantes da equipe.
Variações	Permitir que o aluno que vai fazer o arremesso possa receber a bola na quadra adversária (entre a linha do centro e a linha dos três metros do voleibol).
Comentários gerais	O trabalho em grupo e a cooperação são enfaticamente desenvolvidos. O condutor deve aproveitar esta possibilidade que o jogo lhe oferta para conversar com os alunos sobre essas questões de grupo e colaboração. Comentar com os participantes que a regra dos passes é voltada para desenvolver o trabalho em grupo e os aspectos afetivos envolvidos, não sendo somente para que todos participem das jogadas da equipe.

Quadro 6.29 – Jogo pré-desportivo: "Rede humana"

Número de participantes	15 a 30.
Esporte(s) relacionado(s)	Voleibol.

Aspectos trabalhados	Estrutura corporal e lateralidade. Localização espacial. Saltar. Receber, volear e rebater. Estar de pé. Atenção, memorização e conhecimento. Autoconfiança, conhecimento de si e dos outros, espírito de equipe e organização.
Faixa etária	10 anos em diante.
Descrição/ Regras	A turma é dividida em três equipes. Duas delas ficam em cada metade da quadra e a terceira inicia no meio, com os alunos em pé em cima da linha central, ou seja, esta é a "Rede humana". Para começar o jogo, o aluno deve sempre executar o saque por baixo. A equipe pode tocar até cinco vezes na bola, sempre com o aluno segurando primeiro a bola e executando algum fundamento do voleibol na sequência para passar a bola para o colega ou para o outro lado. Quando algum integrante da "Rede humana" conseguir segurar a bola (sem sair da linha central), levará a sua equipe para a meia quadra, com o direito de iniciar sacando, e a equipe que tocou na bola pela última vez vai para a linha central. Permitir que o aluno, quando necessário, execute o saque mais próximo da rede, se comparado à distância da linha de fundo da quadra, pois essa decisão do professor facilita a sequência da disputa e incentiva a participação dos aprendizes, evitando, assim, o excesso de interrupções da atividade.
Variações	Se alguma equipe cometer três erros (jogar a bola para fora, por exemplo) vai ser a "Rede humana". Limitar o número mínimo de toques (um ou dois) e máximo (cinco ou seis). Não permitir que na mesma jogada algum integrante da equipe toque duas vezes ou mais na bola e, nesse caso, será considerado um erro para somar na regra de três erros. Permitir também que algum integrante segure a bola na sequência da jogada, no segundo ou terceiro toque, por exemplo. Outra alternativa é utilizar uma fileira de cones e formar um corredor de um metro de largura, para que dessa forma os integrantes da "Rede humana" possam se movimentar mais com o intuito de pegar a bola.
Comentários gerais	Este pré-desportivo apresenta um alto grau de dificuldade por envolver os fundamentos técnicos do voleibol. Quando o professor aplicá-lo para turmas de alunos com faixas etárias mais elevadas, pode retirar a regra de segurar a bola e solicitar que eles executem simplesmente o toque, a manchete e a cortada, desde que o condutor entenda que os participantes já se encontram neste nível de execução das tarefas. É um excelente momento pedagógico para o treinamento dos fundamentos do vôlei, apesar de existir a adaptação de segurar a bola, bem como o fato de a estatura dos integrantes da "Rede humana" ser inferior à da rede oficial do esporte, fatores que contribuem para que os participantes executem com maior facilidade os movimentos específicos da modalidade. O desestímulo, muitas vezes presente no jogo oficial do voleibol, devido à inerente dificuldade de execução de seus fundamentos técnicos, pode ser drasticamente reduzido na ação dos alunos neste jogo pré-desportivo. Uma peculiaridade desta atividade é o envolvimento obrigatório de três equipes simultaneamente.

Quadro 6.30 – Jogo pré-desportivo: "Rouba bandeira"

Número de participantes	12 a 24.
Esporte(s) relacionado(s)	Handebol.

Aspectos trabalhados	Estrutura corporal e relaxamento. Apreciação do espaço corporal. Noção de velocidade, aceleração e pausa. Andar e correr. Lançar e receber. Equilíbrio. Identificação e comparação. Autoconfiança, autocontrole, conhecimento de si e dos outros, esforço para se superar, respeito às normas e responsabilidade.
Faixa etária	11 anos em diante.
Descrição/Regras	Jogo adaptado do "Flag Ball", em que todos os participantes colocam na cintura (preso na bermuda) um colete (que será a "bandeira") e o objetivo é levar a bola até a linha de fundo da quadra no espaço entre dois cones. Ao ultrapassar essa marca com a bola na mão, a equipe marca um ponto. O jogador adversário, para tomar a posse de bola, tentará tirar a bandeira do colega, desde que este esteja com a bola na mão. É proibido tirar a bandeira de quem está sem bola e também lançar a bola para a frente.
Variações	Permitir um passe para a frente por jogada de ataque. Permitir um lançamento com o pé (chute) por jogada e para qualquer direção, além de limitar um determinado tempo (cinco segundos, por exemplo) com a bola na mão. Após marcar um ponto (levando a bola na mão), a equipe ganha o direito de um chute do meio da quadra e anota mais um ponto se o aluno acertar a bola entre os cones. Se houver necessidade, realizar o jogo com a "marcação meia quadra", ou seja, estando a bola com a equipe adversária o oponente deve esperar em sua meia quadra para tentar tomar a posse de bola. Aumentar ou diminuir a distância entre os cones de acordo com o número de participantes do pré-desportivo.
Comentários gerais	Conversar com o grupo de alunos a respeito dos possíveis contatos físicos que ocorrerão, no sentido de evitar lesões. Também comentar com os participantes que o jogo apresenta um desgaste energético alto e que é importante dosar em alguns momentos a movimentação, para que haja a devida recuperação muscular para seguir jogando com qualidade. O jogo oferece a condição de trabalhar bastante os valores afetivos dentro de um ambiente saudável de grupo, pois apesar dos contatos que são inerentes a esta atividade, os cuidados e a prudência devem estar em primeiro plano. Se possível, utilizar a bola de Rugby ou de Futebol Americano. Caso seja utilizada a regra do chute, sempre alternar os cobradores.

> Essa área de trabalho exige do professor que atua na escola com alunos de todas as idades da educação básica um dinamismo para ministrar as aulas. Nas explicações dos jogos, por exemplo, a descrição deve ser breve e sucinta, para que o aprendiz assimile ao menos os pontos básicos e possa jogar de forma produtiva. Essa citada descrição do educador não deve ser muita extensa, com o intuito de evitar a dispersão e desconcentração do grupo.

Quadro 6.31 – Jogo pré-desportivo: "Sete passes handvôlei"

Número de participantes	12 a 24.
Esporte(s) relacionado(s)	Handebol e voleibol.

Aspectos trabalhados	Lateralidade. Localização espacial. Saltar. Lançar, receber, volear e rebater. Classificação, criatividade e conhecimento. Espírito de equipe e organização.
Faixa etária	11 anos em diante.
Descrição/Regras	A equipe só poderá marcar o ponto após completar um mínimo de sete passes, usando fundamentos do handebol e executando fundamentos do voleibol (toque, cortada) para enviar a bola para a meta. A marcação deverá ser feita no sistema de meia quadra, ou seja, cada equipe em sua quadra quando o jogo for reiniciado com o goleiro. Demais regras e disposição do jogo de acordo com as regras do handebol.
Variações	Permitir a finalização para a meta com o arremesso do handebol, desde que antes algum aluno tenha executado um passe por meio de fundamento do voleibol. Diminuir o número de passes no total para cinco. Permitir a marcação por toda a quadra. Não limitar a entrada de qualquer participante na área do goleiro, se isto facilitar a ação no jogo e por consequência amenizar a dificuldade de fazer o ponto. Ao final do jogo, realizar uma disputa de tiros livres para o gol com a execução do fundamento do voleibol.
Comentários gerais	Propor aos alunos a criação de regras novas para aumentar o dinamismo e a participação de todos neste pré-desportivo. O fato de trabalhar um ou mais esportes é um fator de desafio para o aluno que joga, o que o leva a um maior estímulo.

Quadro 6.32 – Jogo pré-desportivo: "Três esportes"

Número de participantes	12 a 24.
Esporte(s) relacionado(s)	Basquetebol, futsal, handebol e voleibol (três destes esportes).
Aspectos trabalhados	Estrutura corporal e lateralidade. Coordenação dinâmica geral. Andar, correr e saltar. Manipulação. Estabilização. Memorização, criatividade e atenção. Cooperação, participação, respeito às normas e aos outros.
Faixa etária	11 anos em diante.
Descrição/Regras	O jogo será contemplado desde que sejam utilizados fundamentos técnicos e/ou táticos de três modalidades. As regras seguem o seu respectivo esporte, mas, como em qualquer pré-desportivo, podem ser feitas adaptações.
Variações	No decorrer das aulas, é interessante o professor alternar os esportes vivenciados, bem como os elementos táticos e técnicos utilizados. Observar se não há predominância de um ou dois esportes, pois a ideia é a versatilidade do trabalho, assim como a combinação de fatores psicomotores. Mesmo que haja repetição de modalidades, é possível alternar as regras adaptadas e os fundamentos táticos e técnicos; assim, o jogo já será diferenciado em relação ao anterior aplicado.
Comentários gerais	Propor aos alunos a criação de regras novas para aumentar o dinamismo e a participação de todos neste pré-desportivo. Excelente oportunidade para trabalhar os aspectos manipulativos, locomotores e estabilizadores com o uso das modalidades esportivas. Como já descrito, a atividade é cativante para o aluno que participa.

Quadro 6.33 – Jogo pré-desportivo: "Vôlei segura"[1]

Número de participantes	12 a 24.
Esporte(s) relacionado(s)	Voleibol.
Aspectos trabalhados	Estrutura corporal e lateralidade. Localização espacial. Saltar. Receber, volear e rebater. Estar de pé. Atenção, memorização e conhecimento. Autoconfiança, conhecimento de si e dos outros, espírito de equipe e organização.
Faixa etária	10 anos em diante.
Descrição/ Regras	Formar equipes de seis a doze integrantes, distribuí-los em linhas de três ou quatro alunos e iniciar o jogo (após cada marcação de ponto) com o aluno executando o saque por baixo a uma distância aproximada de seis metros da rede (se necessário diminuir). Após o saque e a bola chegando ao lado oposto, é obrigatório que o aluno que recebe segure a bola. Na sequência, ele a joga para o alto e a toca usando algum fundamento do voleibol (toque ou manchete) e, então, o colega que recebe esta "segunda" bola faz o mesmo procedimento. Quando o colega de equipe receber a "terceira" bola, ele vai segurá-la, jogá-la para o alto e tentar enviá-la para a outra meia quadra usando algum fundamento do esporte. Os pontos serão marcados de acordo com as regras do voleibol (bola fora, bola dentro, bola na rede, desvia no aluno e vai para fora, entre outras).
Variações	Colocar a partir da "segunda bola" a opção de segurar ou não a bola. Colocar a partir da "terceira bola" a obrigatoriedade de executar o fundamento do voleibol, sem segurar a bola antes. Aumentar o número de toques na bola para a equipe passá-la para o outro lado.
Comentários gerais	Incentivar os participantes, pois trata-se de um jogo de difícil execução.

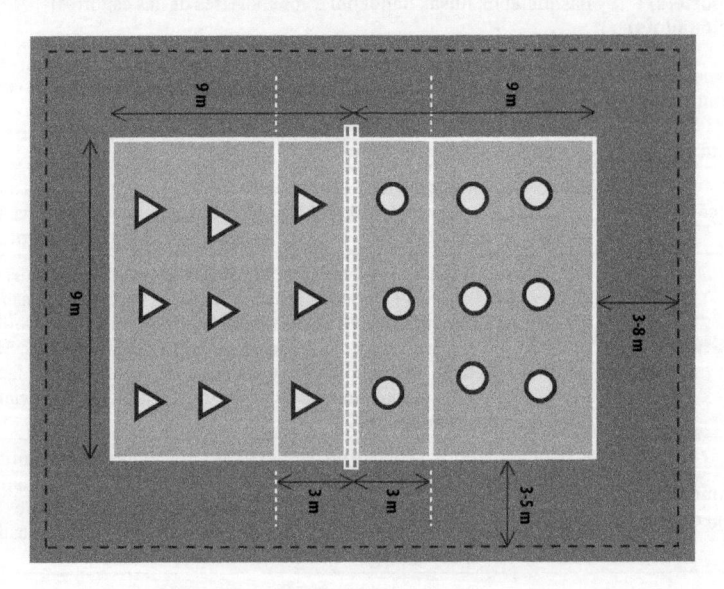

Figura 6.16 – Disposição do "Vôlei segura".

Quadro 6.34 – Jogo pré-desportivo: "Voleifut"

Número de participantes	8 a 16.
Esporte(s) relacionado(s)	Futsal e voleibol.
Aspectos trabalhados	Estrutura corporal e lateralidade. Coordenação dinâmica geral. Saltar. Receber, volear, rebater, chutar, cabecear e passar. Equilíbrio. Memorização e concentração. Respeito às normas e organização.
Faixa etária	14 anos em diante.
Descrição/ Regras	Na quadra, a equipe é dividida em ataque e defesa (usando a linha de três metros do voleibol). O jogo é iniciado com o saque por baixo. Os alunos que estão no setor defensivo podem usar somente fundamentos técnicos do futsal (cabeceio, passe, toque como o peito e com a coxa) e a bola pode tocar no chão uma vez ("um pingo"). Os integrantes que estão no setor ofensivo podem usar somente fundamentos técnicos do voleibol. A equipe pode tocar até quatro vezes na bola (no total) antes de mandá-la para o outro lado da rede.
Variações	Aumentar o número de toques no total na bola. Inverter os fundamentos, ou seja, voleibol na defesa e futsal no ataque. Permitir um toque de bola no chão ("pingo") no setor ofensivo também. Liberar execução de qualquer fundamento por todo o espaço, desde que a equipe use ao menos uma vez cada esporte.
Comentários gerais	Parar o jogo quando necessário para discutir regras com o grupo de alunos. Dialogar sobre a dificuldade das técnicas deste jogo. Revezar a posição dos alunos em quadra.

Quadro 6.35 – Jogo pré-desportivo: "Voleiquete"

Número de participantes	10 a 20.
Esporte(s) relacionado(s)	Basquetebol e voleibol.
Aspectos trabalhados	Localização espacial. Correr e saltar. Lançar, receber, driblar e rebater. Comparação e concentração. Esforço para se superar e disciplina.
Faixa etária	11 anos em diante.
Descrição/Regras	O jogo envolve a combinação das regras do basquetebol com os fundamentos do voleibol. Os alunos trocam de passes e batem bola como fazem no basquetebol, mas, na tentativa de marcar o ponto (lançar para a cesta), terão que usar algum fundamento técnico do voleibol (receber a bola, jogá-la para o alto e executar a cortada, o toque ou a manchete).
Variações	Permitir que somente jogadores da equipe que está no ataque possam entrar no garrafão para tentar converter a cesta (limitar tempo após os alunos receberem a bola). Propor aos alunos a construção de regras que venham a facilitar a marcação de pontos no jogo.

Comentários gerais	Expor ao grupo a dificuldade que pode ocorrer para marcar o ponto no decorrer da disputa. Salientar que a execução dos fundamentos técnicos do voleibol exige um grau elevado de dificuldade, que aumenta devido à ação de tentar acertar a bola na cesta. Essa preocupação serve para evitar desânimo ou certo desestímulo do adolescente que tentar várias vezes e não conseguir marcar o ponto para a sua equipe.

Referências bibliográficas

1. ALBERTI, H.; ROTHENBERG, L. *Ensino de jogos esportivos:* dos pequenos jogos aos grandes jogos esportivos. Tradução de Gabriela Elisabeth Anneri Silveira. Rio de Janeiro: Ao Livro Técnico, 1984.
2. DARIDO, S. C.; SOUZA JÚNIOR, O. M. *Para ensinar educação física:* possibilidades de intervenção na escola. Campinas, SP: Papirus, 2007.
3. MARIANO, C. *Educação Física:* o atletismo no currículo escolar. 2. ed. Rio de Janeiro: Wak Editora, 2012.
4. MIRANDA, N. *200 Jogos Infantis.* 11. ed. Belo Horizonte: Editora Itatiaia Limitada, 1989.
5. MONTEIRO, A. A.; ALMEIDA, T. T. O. *Educação Física no Ensino Fundamental com atividades de inclusão.* 2. ed. São Paulo: Cortez, 2010. (Oficinas Aprender Fazendo).
6. RODRIGUES, M. *Manual teórico-prático de Educação Física infantil.* 9. ed. São Paulo: Ícone, 2011.
7. VOSER, R. C. *Futsal:* princípios técnicos e táticos. Rio de Janeiro: Sprint, 2001.

Considerações finais

Lecionando na educação básica há muitos anos, me encanto cada vez mais com a condição de ensinar e, acima de tudo, com a possibilidade de contribuir para o estímulo da prática do exercício físico da criança e do adolescente em minhas aulas de Educação Física.

Tenho a certeza de que devemos e podemos trabalhar em prol dessa ação para o exercício e o desenvolvimento de habilidades e capacidades físicas. Na atualidade, vemos um paradoxo, já que de um lado a mídia informa os benefícios da atividade física para a saúde e propõe diversas alternativas para que as pessoas usufruam de tal prática, enquanto do outro lado as comodidades da tecnologia e da vida moderna oferecem uma condição extremamente voltada para o sedentarismo e para o desenvolvimento de doenças hipocinéticas.

Esse quadro paradoxal desafia os educadores físicos, fazendo com que eles procurem se atualizar, estudar e aprofundar os seus conhecimentos para atingir os propósitos direcionados aos alunos.

A tarefa de escrever sobre os jogos escolares é árdua, porém muito cativante, além de me levar à conscientização da grande importância e relevância do assunto para a disciplina.

Considero que o conjunto de temas que compõem esta obra forma uma base sólida o suficiente para que o professor realize um excelente trabalho na Educação Física, sendo conhecedor do fato de que, por mais informado que possa estar o profissional, o que realmente vai viabilizar bons resultados é a sua ação com dedicação, muito estudo e, por fim, a sua competência.

Percebo que realmente podemos chegar a bons índices com a inclusão de propostas modernas e dinâmicas, saindo da repetição ou de tarefas rotineiras que resistem a possibilidades de mudanças para elevar a capacidade e qualidade do trabalho e da produção nas escolas do Brasil.

O jogar para a criança poderá ser o significado da regularidade da sua atividade física na fase adulta da sua vida, já que podemos partir do ponto de que uma criança que é bastante estimulada e com boa vivência motora tem uma chance aumentada de se tornar um adulto ativo.

A Educação Física escolar depende da associação de vários fatores para ser útil e produtiva, cabendo ao professor articular os elementos e utilizar essa combinação na dose correta, para concretizar objetivos estipulados por essa área de atuação.

Façamos o nosso melhor, dia a dia, nas escolas ou em qualquer outro ramo de atuação, mas trabalhemos com dedicação e doação, atingindo satisfação plena, mesmo que não seja sempre, pois acredito que só podemos estar felizes se, acima de tudo, acreditarmos em nossa capacidade, em nosso trabalho e no potencial dos alunos.

Sejamos, então, catalisadores de ações que envolvam interação social, desenvolvimento físico e consciência da importância de uma melhor qualidade de vida e, por consequência, de uma melhor condição de saúde e aumento da expectativa de vida para todos nós.

Eu, acima de tudo, gosto de minha profissão, sempre gostei de trabalhar com a Educação Física, em especial nas escolas, e, partindo desse princípio, acredito que todos podem alcançar ótimos resultados.

Anexos

Quadro A.1 – Resumo dos jogos pré-desportivos e suas indicações para as faixas etárias

FAIXA ETÁRIA	JOGOS
8 Anos em diante	Basquete cadeira
9 Anos em diante	Basquetada Handebol meia quadra
10 Anos em diante	Base 4 handebol Basquete corredor Basquete meia quadra Bola aos círculos basquete Bola aos círculos handebol Bola cruzada hand Eliminar o círculo Fut corredor Handebol ataque defesa Handebol corredor Handebol por setor Handebol vai e volta Rede humana Vôlei segura
11 Anos em diante	Arco móvel Basquete ataque defesa Basquete por setor Bola aos cantos basquete Fut com 4 metas Futquete Handebol com 4 metas Handfut Handvôlei Mão-cabeça-mão-cabeça Quatro esportes Queimadol Queimadol passes Rouba bandeira Sete passes handvôlei Três esportes Voleiquete
14 Anos em diante	Voleifut

Quadro A.2 – Resumo dos jogos pré-desportivos e suas indicações
para o número mínimo e máximo de participantes

PARTICIPANTES	JOGOS
8 A 16	Voleifut
10 A 16	Handebol meia quadra
10 A 20	Basquetada Basquete ataque defesa Basquete cadeira Basquete meia quadra Handebol vai e volta Voleiquete
10 A 24	Eliminar o círculo
12 A 20	Arco móvel Base 4 handebol Handebol ataque defesa Handvôlei Mão-cabeça-mão-cabeça Queimadol Queimadol passes
12 A 24	Basquete corredor Basquete por setor Futquete Handebol por setor Handfut Quatro esportes Rouba bandeira Sete passes handvôlei Três esportes Vôlei segura
14 A 24	Bola aos cantos basquete Bola cruzada hand Fut com 4 metas Fut corredor Handebol corredor Handebol com 4 metas
15 A 30	Rede humana
16 A 24	Bola aos círculos basquete Bola aos círculos handebol

Quadro A.3 – Resumo dos jogos pré-desportivos e suas indicações para os esportes relacionados

ESPORTE(S)	JOGOS
Basquetebol	Arco móvel Basquetada Basquete ataque defesa Basquete cadeira Basquete corredor Basquete meia quadra Basquete por setor Bola aos cantos basquete Bola aos círculos basquete
Futsal	Fut com 4 metas Fut corredor
Handebol	Base 4 handebol Bola aos círculos handebol Bola cruzada hand Eliminar o círculo Handebol ataque defesa Handebol com 4 metas Handebol corredor Handebol meia quadra Handebol por setor Handebol vai e volta Queimadol Queimadol passes Rouba bandeira
Voleibol	Rede humana Vôlei segura
Basquetebol e futsal	Futquete
Basquetebol e voleibol	Voleiquete
Basquetebol, futsal, handebol e voleibol	Quatro esportes
Basquetebol, futsal, handebol e voleibol (três destes esportes)	Três esportes
Futsal e handebol	Handfut Mão-cabeça-mão-cabeça
Futsal e voleibol	Voleifut
Handebol e voleibol	Handvôlei Sete passes handvôlei